国际大奖小说

DER RABE ALFONS

乌鸦人阿凡思

[奥] 埃尔温·莫泽/著、绘　王泰智　沈惠珠/译

新蕾出版社

图书在版编目 (CIP) 数据

乌鸦人阿凡思/(奥)莫泽著;王泰智,沈慧珠译.
—天津:新蕾出版社,2010.4(2016.7 重印)
(国际大奖小说)
书名原文:Der Rabe Alfons
ISBN 978-7-5307-4747-6

Ⅰ.①乌…
Ⅱ.①莫…②王…③沈…
Ⅲ.①长篇小说–奥地利–现代
Ⅳ.①I521.45
中国版本图书馆 CIP 数据核字(2010)第 054193 号
Der Rabe Alfons by Erwin Moser
Copyright ⓒ 1990 Beltz & Gelberg in der Verlagsgruppe
Beltz·Weinheim Basel
Simplified Chinese translation copyright ⓒ 2010 by New
Buds Publishing House
ALL RIGHTS RESERVED
津图登字:02–2010–51

出版发行:新蕾出版社
e-mail:newbuds@public.tpt.tj.cn
http://www.newbuds.cn
地　　址:天津市和平区西康路 35 号(300051)
出 版 人:马梅
电　　话:总编办(022)23332422
　　　　　发行部(022)23332676　23332677
传　　真:(022)23332422
经　　销:全国新华书店
印　　刷:山东德州新华印务有限责任公司
开　　本:880mm×1230mm　1/32
字　　数:60 千字
印　　张:5.25
印　　数:61 001–69 000
版　　次:2010 年 4 月第 1 版　2016 年 7 月第 11 次印刷
定　　价:18.00 元

著作权所有·请勿擅用本书制作各类出版物·违者必究,如发
现印装质量问题,影响阅读,请与本社发行部联系调换。
地址:天津市和平区西康路 35 号
电话:(022)23332677　邮编:300051

前　言

一辈子的书

梅子涵

亲近文学

　　一个希望优秀的人，是应该亲近文学的。亲近文学的方式当然就是阅读。阅读那些经典和杰作，在故事和语言间得到和世俗不一样的气息，优雅的心情和感觉在这同时也就滋生出来；还有很多的智慧和见解，是你在受教育的课堂上和别的书里难以如此生动和有趣地看见的。慢慢地，慢慢地，这阅读就使你有了格调，有了不平庸的眼睛。其实谁不知道，十有八九你是不可能成为一个文学家的，而是当了电脑工程师、建筑设计师……可是亲近文学怎么就是为了要成为文学家，成为一个写小说的人呢？文学是抚摸所有人的灵魂的，如果真有一种叫作"灵魂"的东西的话。文学是这样的一盏灯，只要你亲近过它，那么不管你是在怎样的境遇里，每天从事怎样的职业和怎样地操持，是设计房子还是打制家具，它都会无声无息地照亮你，使你可能为一个城市、一个家庭的房间又添置了经典，添置了可以供世代的人去欣赏和享受的美，而不是才过了几年，人们已经在说，哎哟，好难看嗷！

谁会不想要这样的一盏灯呢？

阅读优秀

文学是很丰富的，各种各样。但是它又的确分成优秀和平庸。我们哪怕可以活上三百岁，有很充裕的时间，还是有理由只阅读优秀的，而拒绝平庸的。所以一代一代年长的人总是劝说年轻的人："阅读经典！"这是他们的前人告诉他们的，他们也有了深切的体会，所以再来告诉他们的后代。

这是人类的生命关怀。

美国诗人惠特曼有一首诗：《有一个孩子向前走去》。诗里说：

有一个孩子每天向前走去，

他看见最初的东西，他就变成那东西，

那东西就变成了他的一部分……

如果是早开的紫丁香，那么它会变成这个孩子的一部分；如果是杂乱的野草，那么它也会变成这个孩子的一部分。

我们都想看见一个孩子一步步地走进经典里去，走进优秀。

优秀和经典的书，不是只有那些很久年代以前的才是，只是安徒生，只是托尔斯泰，只是鲁迅；当代也有不少。只不过是我们不知道，所以没有告诉你；你的父母不知道，所以没有告诉你；你的老师可能也不知道，所以也没有告诉你。我们都已经看见了这种"不知道"所造成的阅读的稀少了。我们很焦急，所以我们总是非常热心地对你们说，它们在哪里，是什么书名，在哪儿可以买到。我就好想为你们开一张大书单，可以供你们去寻找、得到。像英国作家斯蒂文生写的那个李利一样，每天快要天黑的时候，他就拿着提灯和梯子走过来，在每一家的门口，把街灯点亮。我们也想当一个点灯的人，让你们在光亮中可以看见，看见那一本本被奇特地写出来的书，夜晚梦见里面的故事，白天的时候也必然想起和流连。一个孩子一天天地向前走去，长大了，很有知识，很有技能，还善良和有诗意，语言斯文……

同样是长大，那会多么不一样！

自己的书

优秀的文学书,也有不同。有很多是写给成年人的,也有专门写给孩子和青少年的。专门为孩子和青少年写文学书,不是从古就有的,而是历史不长。可是已经写出来的足以称得上琳琅和灿烂了。它可以算作是这二三百年来我们的文学里最值得炫耀的事情之一,几乎任何一本统计世纪文学成就的大书里都不会忘记写上这一笔,而且写上一个个具体的灿烂书名。

它们是我们自己的书。合乎年纪,合乎趣味,快活地笑或是严肃地思考,都是立在敬重我们生命的角度,不假冒天真,也不故意深刻。

它们是长大的人一生忘记不了的书,长大以后,他们才知道,原来这样的书,这些书里的故事和美妙,在长大之后读的文学书里再难遇见,可是因为他们读过了,所以没有遗憾。他们会这样劝说:"读一读吧,要不会遗憾的。"

我们不要像安徒生写的那棵小枞树,老急着长大,老以为自己已经长大,不理睬照射它的那么温暖的太阳光和充分的新鲜空气,连飞翔过去的小鸟,和早晨与晚间飘过去的红云也一点儿都不感兴趣,老想着我长大了,我长大了。

"请你跟我们一道享受你的生活吧!"太阳光说。

"请你在自由中享受你新鲜的青春吧!"空气说。

"请你尽情地阅读属于你的年龄的文学书吧!"梅子涵说。

现在的这些"国际大奖小说"就是这样的书。

它们真是非常好,读完了,放进你自己的书架,你永远也不会抽离的。

很多年后,你当父亲、母亲了,你会对儿子、女儿说:"读一读它们,我的孩子!"

你还会当爷爷、奶奶、外公和外婆,你会对孙辈们说:"读一读它们吧,我都珍藏了一辈子了!"

一辈子的书。

乌鸦人 DER RABE ALFONS
阿凡思

目录

第 一 章　魔法师摩多万…………001

第 二 章　狼狈的遭遇…………008

第 三 章　阿凡思和流浪汉………013

第 四 章　奇怪的脚印……………021

第 五 章　阿凡思大闹面包店……028

第 六 章　好心的白鸽……………036

第 七 章　喜重逢…………………042

第 八 章　泛舟河上………………047

第 九 章　女巫美娘………………052

第 十 章　魔法书的启示…………060

第十一章　重新上路………………065

第十二章　烟囱和野猫……………072

第十三章　马戏班巴豆粒…………076

目录

第十四章　失败的演出……………………………083

第十五章　小矮人匹夫……………………………091

第十六章　获救……………………………………099

第十七章　恐怖之夜………………………………109

第十八章　水上宫殿………………………………116

第十九章　雌鸦阿霞………………………………125

第二十章　木板贴面的房间………………………132

第二十一章　遭诅咒的乌龟园……………………140

第二十二章　邪恶巫师古古嘛……………………147

第二十三章　结局好，就一切都好了吗?…………154

第一章

魔法师摩多万

从前，有一只乌鸦，他的名字叫阿凡思。阿凡思对自己十分不满意，因为他飞行能力太差了。这么说吧，他虽然掌握了足够的飞行技能，但与团队里的其他乌鸦相比，他飞得实在太慢了。

他们一共是七只乌鸦，到了深秋季节，就要从寒冷的北方，飞往温暖的南方。这种迁徙飞行要持续好几个星期。阿凡思总是落在后面。

"阿凡思在哪儿？"飞了一段时间以后，领头乌鸦问道。"天哪，他还在后面，离我们还有一公里多远呢！我们先到树上休息一会儿，等他一下吧。"

"我们老是得等他！"其他乌鸦哇哇叫着，"照这样下去，我们永远到不了南方！"

乌鸦们飞到了树上，满脸怨气地等着阿凡思。过了一会儿，阿凡思终于飞过来了，气喘吁吁的就像是一只老苍鹭。他使尽最后的力气，落到了大树上。

"阿凡思！"领头乌鸦说，"我们不能要你了。你耽误

了我们的行程,我看你就留在此地过冬吧!"

"好吧,"阿凡思难过地说,"这我能够理解。你们继续飞吧,不用为我操心,我会设法渡过难关的。"

其他乌鸦祝他好运后,展开翅膀飞走了。阿凡思留在枝头上,望着同伴的身影越飞越远。

大树附近,有一个村庄——一个很小的村庄,尽是芦苇铺顶的农舍。阿凡思朝村庄望去,只见农舍的烟囱里,升起了袅袅炊烟,看来农舍里都生起了炉火,暖暖的,不用怕外面的严寒。

阿凡思看到这些,不由得十分羡慕,他想:人类真好,气候变化了,他们也不需要迁徙。他们可以点燃炉火,让屋里变得温暖如春。我要是能变成人类该多好!那样,一到秋天,我就躺在温暖舒适的床上,一觉睡到春天。孤零零的阿凡思已经感到了深秋的凉意。于是,他决定继续往前飞一段,看能不能找到点吃的东西。

村庄的后面,是一片大森林,阿凡思向那里飞去。飞着飞着,他看到了森林当中一座塔楼的屋顶。阿凡思飞近塔楼,由于塔楼的窗子恰好开着,他就飞了进去。

可是,塔楼并不是空的,里面有人居住!魔法师摩多万就生活在这里。

他一眼就看见了阿凡思。

"你好啊,乌鸦!"他用乌鸦语言问候。

阿凡思真是吓了一大跳,因为至今他还从未遇到过一个会讲乌鸦语的人类。

"不必害怕!"魔法师说,"留在这儿吧,我可以给你玉米粒吃。你好好休息一下。看你的样子,已经很疲倦了。"

"是的,"阿凡思回答说,"我确实很累了。我其实一直都觉得累,我现在觉得做乌鸦也许是最累的……"于是他把自己的全部故事告诉了魔法师。魔法师摩多万靠在躺椅上,认真地听他讲述。阿凡思讲到最后时说:"唉,如果我能够变成人类该多好,哪怕只有一天呢!你们人

类比我们乌鸦可要好多了。"

"你刚才讲的故事确实很有趣。"魔法师说,"我考虑了一下。你听着,我并不是一个普通人,我是有魔法的。我现在给你一个建议:我把你变成一个人,让你过一天人的生活。我也利用这个机会变成一只乌鸦。真是太妙了!其实,我老早就想知道,作为一只飞鸟会有什么样的感觉!你可以像人一样四处走一走,我也可以上天飞一飞。你同意这个建议吗?"

"当然,同意,太同意了!"阿凡思哇哇叫着,"如果有这个可能,那就太好啦!"

"那好,"魔法师说,"我们最好说干就干,别等到天黑,这样我还可以在森林上空先飞上几圈,体验体验飞翔的乐趣。但你不要忘记,阿凡思,明天下午你必须回来,就像我们刚才商量的那样。"

"好!"阿凡思说,"你快施魔法吧,我已经准备好了。"

魔法师摩多万站起身来,朝一个柜子走去。他从里面拿出一只压扁了的硬纸板鞋盒,摆到了桌子上。阿凡思好奇地往里面看了一眼。除了六枚干瘪的李子,其他什么都没有。

"你拿出这些干李子干什么?"阿凡思问道。

"这是我的朋友女巫美娘送给我的生日礼物。"魔法师说,"已经放在这儿有五年了……但愿这些东西还能起作用。这些是魔法李子!一只动物吃了它,就可以变成

人类，一个人要是吃了它，就会变成他瞬间想到的动物。我可别去想一只小毛毛虫或者其他什么难看的东西！要想重新变回来，我们只需要再吃一枚魔法李子就行了。清楚了吗，乌鸦朋友？"

"是的，清楚了。"阿凡思说，随即用尖嘴叼了鞋盒中的一枚魔法李子。

魔法师也吃了一枚，心里一直在想乌鸦、乌鸦、乌鸦！

只听一声闷响，白烟顿时弥漫了房间。烟散了以后，阿凡思变成了一个人，而摩多万变成了一只乌鸦。

哈，阿凡思真是高兴极了！

他站到一面镜子前，美滋滋地欣赏自己的新形象。

要说漂亮，当然谈不上。又黑又密的头发和又黑又密的络腮胡须，脸当中伸出了一根长长的黄鼻子，怎么看都有点像他原来的乌鸦嘴。不过，阿凡思不在乎！他现在有了两条腿和两只胳膊，还穿了一套黑色的西装，一句话，他变成了一个人！

现在已经是一只乌鸦的魔法师，哇哇叫了两声，就从窗口飞了出去。

我现在得去刚才见过的那座村庄，阿凡思想。那里肯定会有人收留我，然后我就可以坐到炉火前，再也不移动一步了！

他离开了塔楼，把衣领竖起来，迈开双腿上路了。

第二章

狼狈的遭遇

但是,想不到这条路这么远。对一个人来说,实在是太远了,这是阿凡思事先没有估计到的。所以,一直到天擦黑的时候,他才来到那座村庄。走了这么多路,他比原来当乌鸦时还要累。他开始隐约感觉到,当一个人也并不总是幸福的。但他还是充满了信心。

刚到第一栋房子,他连门都没有敲就闯了进去,然后就寻找哪里有炉火。房子里面的人一看到阿凡思进来,脸色立即变了!

"喂!"房子的主人———一个彪形大汉气愤地喊道,"先生,您到这儿想干什么?您是谁?就这么闯进来,这算是什么规矩?"

就在他这样喊叫的时候,阿凡思已经坐到了壁炉上,正想把鞋脱下来烤火。阿凡思虽然现在是人的模样,但他却听不懂人的语言。而这也是他事先没有估计到的。那个大汉没有多啰嗦,一把抓起阿凡思的衣领,把他扔出了门。

"快滚!别让我再看见你!"那个大汉喊着,狠狠地把门关上了。

这人怎么这样不友好呢!阿凡思想。他只好再去第二栋房舍。但那里的人一看到他那可疑的形象和那根大黄鼻子,根本就没有让他进去。在其他房舍里,他遭到了同样的待遇,到处碰壁。对那些人来说,阿凡思的样子实在太恐怖了。就这样,他慢慢走到了村庄的尽头,这时他才突然意识到,现在只有他一个人孤单单地站在黑暗当中,而且不知道应该到何处去。他穿的衣服很单薄,感到很冷。就在这时,阿凡思突然渴望再变回一只乌鸦。当乌鸦,我身上至少还有羽毛可以御寒,总比人类的衣服要暖和得多,他想着,难过地向前走去。

夜色很快笼罩了大地。天空完全被乌云遮住,看不见月亮,而且开始下起小雪来。

阿凡思把双手深深插在上衣口袋里,缩着脖子,沿着一条田间小道蹒跚地走着。我必须找到一个干草垛,他想。干草里面是暖和的,可以在那里过夜,明天一早我就去找魔法师,让他把我再变回去……

那么,在这期间,我们的魔法师乌鸦的情况又怎么样呢?他从塔楼窗口飞出去以后,立即冲向了高高的云霄。

有一双翅膀真是太美妙了!他得意地想。他感到格外轻松和自由。而且他最感到意外的是,在如此高的天

空他竟然一点都不头晕。平时他有恐高症,连爬几级梯子都不敢,可现在,他却希望飞得越高越好。

　　突然,另一只鸟儿飞了过来!那是一只黑色的大老鹰。它见到一只乌鸦竟然飞得这么高,心里很不满意。因为这是它的地盘,只有老鹰才有资格在这个高度飞翔,这是所有鸟类内定的一条规矩。摩多万当然不会知道这些。老鹰立即向他发起了攻击,我们的摩法师竟吓得忘记了如何飞行,像一颗石头一样,垂直从天上掉了下来。直到快要挨到树冠时,他才勉强控制住了自己。他掉进了树叶当中,落到了一根树枝上。他的心跳个不停。所幸的是,那只老鹰没有继续难为他。

　　竟会有这种事?魔法师想。我真是没有想到,老鹰为什么如此不喜欢乌鸦呢?他呆站在枝头上思索着下一步该往哪儿飞。就在这时,他身后突然跳出来一只动物!那是一只黄鼠狼。但是,黄鼠狼第一次攻击却没有把他抓住,只是抓掉了他几根黑羽毛。他吓得从树上跳下来,又把飞行忘记了,砰地摔到了硬硬的地上,他喘着粗气迈开细腿在森林里跑了起来。过了一会儿,他才想起自己现在是一只乌鸦,才又重新飞上了天空。

可是,这次的飞行可就不再那么轻松了,因为他少了几根羽毛。乌鸦的生活我真是受够了!魔法师想。行了,我现在就飞回家。

这时,天已经擦黑了,魔法师认不出他的塔楼。他飞到了一个村庄。

我先到教堂塔楼上休息一下吧,他这样想,然后我再继续飞。但教堂的塔顶太尖,他无法停留在上面。他看见屋顶下面有一个砖洞,于是就飞了进去。

他真不该这么做!砖洞里住着五只猫头鹰。他们以为乌鸦是来袭击他们的,于是伸出尖嘴进行反击。

可怜的摩多万!等到他知道发生了什么事情时,他已经被猫头鹰啄得遍体鳞伤了。他被抛出了砖洞,又差一点忘记了飞行。他扇动着残缺的翅膀,勉强落到了地上。他费力地飞过村庄农舍的屋顶,飞向了一片田野。现在飞行更费劲了,因为猫头鹰几乎把他翅膀的全部羽毛都给撕掉了。这时天已经全黑,魔法师越来越感到不安。

等他来到一条河的附近,他完全没有力气了,只好降落下来。我真是干了件美好的傻事!魔法师想。现在该怎么办呢?他走到河边,看见了一座石桥。他感觉很冷,残缺的翅膀钻心的疼,而且,天又下起了小雪。于是他爬

到石桥下面,把身体窝在一个避风的角落。河水发出了哗哗的响声,天上的雪花像米粒一样泼洒到地上,魔法师乌鸦慢慢闭上了眼睛……

第三章

阿凡思和流浪汉

　　这时,阿凡思在一片田野里,寻找干草堆。雪越下越大,阿凡思看不了太远。干脆就一直往前走吧,他想。不管什么时候,反正总会遇到一个干草堆的!

　　他走着走着,透过雪幕看到前面有一处火光。他慢慢朝着火光走去,只见一个男子坐在篝火旁。那个男子是一个流浪汉,一件厚厚的大衣紧紧裹着身体,头上戴着一顶破礼帽。他一看到阿凡思,就立即把阿凡思也当成了流浪汉。"过来,过来,伙计!"那个男人朝阿凡思喊道,"坐到我身边来。我正在烤一个土豆。我今天没有找到其他食物,但你也可以咬一口,或许你有什么更好的东西?"

　　阿凡思蹲到篝火前,把手伸过去取暖。

　　那个流浪汉仔细打量着阿凡思。我的老天爷!他心里想。这样的大鼻子,我还从来没有见到过。大得像一根玉米棒!这可怜的家伙连一件大衣都没有穿!

　　大衣对流浪汉是非常重要的。一件像样的流浪汉大衣既可御寒，又能避暑。所以，流浪汉从来不把大衣脱下来。大衣就是流浪汉的家。"你从哪儿来呀?"流浪汉问阿凡思。阿凡思没有回答，他根本就听不懂那个人在说什么。"你是哑巴吗?"流浪汉又问。阿凡思还是没有任何反应，只是呆呆地望着那堆火。

真是见鬼了!流浪汉想。这家伙不光是哑巴而且还是个聋子，就像是一块木头!他突然觉得阿凡思很可怜。

我本来以为我的境况最差,可想不到还有比我更差的
人。他这样想着,把手中的土豆递给了阿凡思。"吃吧!"
流浪汉说,"这样你可以暖和一点。"

但是,阿凡思只是用鼻子闻了一下土豆,就把头扭
了过去。这个土豆对他来说太热了,一只乌鸦是吃不了
热土豆的。他根本不喜欢吃热的东西,即使变成了人,也
还是这样。

"你不喜欢?"流浪汉吃惊地问,"你的肚子是不是有
毛病?我的天啊,我真不想变成你这样的人。"

流浪汉吃土豆的时候,还在寻思另外一个问题。没
有大衣,这家伙在外面是过不了这个夜的,他想,我必须
替他找一个仓库藏身,否则这个人会在我面前冻死的。
"跟我走吧,伙计!"流浪汉说着把火踩灭,拉起了阿凡思
的胳膊。

对阿凡思来说,去哪儿都无所谓,于是就跟在了流
浪汉的身后。他们横穿过田野,向前走去。

不久以后,雪停了下来,他们来到了一个大庄园。

"留心,伙计,你在这儿等我。等,明白吗?我爬过去,
看看能不能给你搞点暖和的衣服穿。"

阿凡思虽然没有听明白,但还是靠着篱笆坐了下
来,把鼻子藏到了上衣里。这时,流浪汉已经爬过了篱
笆。

半个小时过去了,阿凡思已经快睡着了,突然他听
到了喧闹声。一只狗吠叫了起来,有人在喊叫,一个窗子

里亮起了灯光。就在这时,流浪汉气喘吁吁地从篱笆上爬了出来,手上拿着两个布包。他把其中一个扔给阿凡思,然后喊道:"快跑,越快越好,伙计!"瞬间他就消失在黑暗中。阿凡思没有理解他的意思。他打量了一下布包,感到很奇怪。

就在这时,庄园的大门打开了,一个庄稼汉手里提着猎枪奔了出来。只听砰砰两声响,无数铅弹在阿凡思耳边呼啸而过。他尖叫了一声，把手中的布包扔掉，跟在流浪汉后面奔跑了起来。阿凡思像疯了一般奔跑着。有一段时间他还听到身后有狗的叫声，后来他终于把狗甩掉了。阿凡思跑啊，跑啊，直到喘不过气来。他终于筋疲力尽了，一下子躺倒在雪地上。前面几米远的地方，传来了流水的汩汩声。原来，前面是一条河。然后，他又听到一个声音："是你吗，伙计？"

流浪汉从灌木丛中探出头来。他看到阿凡思，笑着说："你到哪儿去了？我还以为你被他们抓住了。"流浪汉说，"哈，我干得怎么样？现在你也有大衣穿了！几乎是新的。进入那栋房子还真是不容易。可能是那只该死的狗闻到了我的味道。"流浪汉帮阿凡思穿上大衣。"好了，这回你不会挨冻了。"

阿凡思很喜欢这件大衣，他立即想起了他原来的羽毛。阿凡思伸出双臂像翅膀那样上下扇动了几下，高兴地哇哇叫了几声，又蹦又跳十分惬意。

流浪汉奇怪地看着他。我的上帝！他想，这个小子脑子可能坏掉了！"来吧！"他对阿凡思说，"把第二个布包给我吧！你肯定会大吃一惊，看看里面都有些什么好吃的东西！咦，包哪儿去了？"

流浪汉走到阿凡思身边，从身后、身左、身右绕了一大圈，然后又疑惑地望了望阿凡思。"你把那东西弄到哪儿去了？你这个丧门星！"但阿凡思只是对他友好地笑了笑。

"你把它给扔掉了?"流浪汉现在严肃了起来。我看这是个疯子,他想,只要看他一眼就知道了!我要是还和他在一起混,肯定得有许多麻烦。

阿凡思走到河边,喝了几口水。

这是个好机会!流浪汉想,我得走人了,否则这个疯子会缠住我不放的。他已经有了一件暖和的大衣,而且我也两手空空了。于是,他轻轻地潜入黑夜之中。

流浪汉向河的下游走了一段,然后发现了一个干草堆。他扒开草堆钻了进去,他实在太累了,很快就进入了梦乡。

阿凡思发现流浪汉不见了,觉得很奇怪。他怎么一下子就走了?阿凡思想,然后在周围找了找,却看不到流浪汉的踪影,于是就自己向河的上游走去。他来到了一棵枯树下,因为找不到其他更好的地方,他只好爬上了枯树,按照乌鸦的办法蹲在了一根树枝上。他把大衣的扣子扣紧,把衣领竖起来,就这样睡着了。

这个夜并不太长,清晨很快来到了。太阳从白雪覆盖的田野里缓慢升起,寒风开始吹了起来。阿凡思被冷风吹醒,他站在高高的枝头上向四周巡视,发现河边有一只羽毛残缺的乌鸦在蹦跳着。阿凡思心里立刻热了起来。"兄弟!"他用乌鸦语向下喊道,"等等我,我得向你打听点事!"

羽毛残缺的乌鸦先是吓了一跳,随即高兴地哇哇叫了两声。"阿凡思,是你吗?"他喊道。

"什么?你是魔法师?"阿凡思说着赶紧从树上爬了下来。

哈,这真是一次亲切的重逢!两个人眼睛里泛出了泪花。

阿凡思用大衣把魔法师乌鸦拥在怀里,魔法师为他指路。因为现在已经是白天,他已经知道自己所处的位置。"你一直沿着河边走,"魔法师说,"然后我们就会到达我的塔楼。我们一到家,立刻吃掉两枚魔法李子,就又会变回我们的原形了。我可以告诉你,从此以后,我再也不想当乌鸦了!"

"我也再不想当人了!"阿凡思也信誓旦旦地说。

"告诉我,都发生了什么事情?"魔法师摩多万问道。阿凡思开始讲他的经历。

当他们从干草堆旁走过时,在里面睡觉的流浪汉被惊醒了,他从里面往外看了一眼。

可阿凡思和魔法师并没有发现他,他们继续用乌鸦语交谈,并缓慢地向上游走去。

流浪汉看了他们很久。"我的圣母马利亚!"他嘟囔着,"他根本就不是人,而是一只乌鸦!"他使劲晃了晃脑袋,重新躺入了草堆。别瞎想了,这根本就不可能!我今天必须好好吃一顿饱饭,否则也要发疯了。

第四章

奇怪的脚印

阿凡思沿着河边走了一个多小时,才终于到了森林。冷风缓和了许多,阳光也比刚才暖和了许多,有些地方的积雪开始慢慢融化。摩多万在阿凡思的大衣里睡了一觉,现在又精神抖擞了。他把头从大衣里探了出来。"哇,我真是又累又饿!"他说,随即打了几个哈欠。"等我们到家,变回原形以后,一定要做点好吃的,喝杯茶,然后我就要躺到床上,哪儿也不去,躺上三天三夜!"

"我只需要一把玉米粒就够了。"阿凡思说,"离塔楼还远吗?"

"不,不太远了。"魔法师说,"前面就是森林了。你看,那冒烟的地方,就是我的塔楼……等一等!那里为什么冒烟啊?我并没有烧炉子啊!我的天啊,阿凡思,快跑,我的塔楼肯定出事了!"

阿凡思迈开大步跑了起来,很快就来到了塔楼前。但哪里还有什么塔楼啊,眼前看到的,已经只是一片冒着烟的废墟了。塔楼从上到下,被彻底烧毁了。魔法师看到这个景象,先是以为塔楼遭到了雷击,可是后来又觉得不对劲。

　　他哇哇叫着在废墟上跳来跳去。"怎么会这样呢?是

谁干的?我亲爱的塔楼呀!我可爱的躺椅呀!都烧掉了,一切都完了!"

阿凡思垂着双臂站在旁边,无言地凝视着废墟上的残火。然后,他用袖子擦了一下潮湿的鼻子,说:"摩多万,那些魔李也烧掉了吗?"

魔法师立即停止了蹦跳,愣在了那里。"噢,上帝啊!魔李……"他声音沙哑地喊道。然后他走向一棵树,蹲在干草上沉思着。好长一段时间没有说话。

阿凡思终于怯怯地说:"可是,没有魔李,我们是不是就无法变回去了?"

"阿凡思,"摩多万说,"你的敏感确实是令人佩服。不过请你现在闭上嘴,让我好好想一想。"

魔法师想了很长很长时间,阿凡思甚至以为他已经睡着了。但是,魔法师摩多万还是想出了一个主意。"阿凡思,"他说,"你去看看,废墟里面是否还有什么东西没有烧坏。我去周围看一看,或许还可以找到些纵火者留下的痕迹。"

"好吧。"阿凡思说。

摩多万决定到森林里去勘察。他试图往前飞一段,但被扯坏的翅膀实在太疼,他只好放弃。

他终于发现了痕迹!

那是些非常奇怪的痕迹。

在两棵大树之间,有一片较大的积雪上面出现了两排小洞,看起来就像是两个人踩着高跷走过的一样。

两个踩高跷的人到这里干什么呢？摩多万想。不，这些是
脚印，应该是其他生物留下的！可是，能够留下这样脚印
的动物我还真的想不出来是什么……他思索着回到了
塔楼。

　　阿凡思已经在那里等他了。

"找到什么了吗?"魔法师问道,"给我看看。啊,这是我的皮帽子——烧黑了一点,但还可以用。你把它戴上吧,阿凡思。还有什么?五枚铜板——这我们可能也用得上。把它们放到大衣口袋里。那个,那个是什么?"

"是装魔李的空盒子。"阿凡思难过地说,眼睛里闪出了泪花。

"别难过,阿凡思。"摩多万说,"自己找的麻烦,只能自己去解决。但我们肯定可以走出这个困境的,请相信我!我毕竟还是伟大的魔法师摩多万,尽管此时此刻我只能披着残缺羽毛的乌鸦皮四处蹦跳……对不起,阿凡思,我不是出于恶意。你知道,我对乌鸦并没有反感,但我真的不应该吃那颗李子。我们真是太轻率了。你知道我们现在该干什么,我亲爱的阿凡思?我们现在直接去找我的朋友,女巫美娘!要是她也没有几枚该死的李子,那才真是见鬼了!来,阿凡思,让我钻进你的大衣,我们现在就出发!"

阿凡思把魔法师乌鸦塞进大衣里,就又上路了。

"不,不是这个方向!"魔法师说,"我们先要去河边,然后朝下游走!"阿凡思顺从地向河边走去。

他默默地沿着河边蹒跚走着,大约走了一个多小时,脚步越来越慢了,最后终于停了下来。魔法师把这一切都看在眼里,他可以感觉到这个乌鸦人的情绪已经低到了极点。他预感到他的这个同路人马上就要撂挑子了。"阿凡思,怎么了?继续走啊!"魔法师说。

"我不行了,摩多万。"阿凡思说,"我的脑子里乱得很,实在理不出个头绪来。我真想马上就倒在地上死去。"

"别胡说!"魔法师说,"你只是又累又饿,我也是一样。但这还远不是寻死的理由。打起精神来,阿凡思!其实问题很简单。我们只需要找到女巫美娘,就可以彻底解脱了。据我所知,她还有办法为你增长力气,让你飞得更好。你重新变成真正的乌鸦以后,就可以和你的朋友们一起飞向南方了。而且你还可以给他们讲讲这段好听的故事。"

"这样的故事没有人会相信,"阿凡思说,"到女巫那里还要走多少路啊？"

"嗯，不太远，"魔法师说，"明天下午我们就能到。"

"什么！我还得走这么多路？"阿凡思喊道，"我可能做不到。我的肚子很饿，身体也很虚弱，都快站不住了。摩多万，你还是自己去吧，我就坐在这里等你带着魔李回来。"

"阿凡思，我一直以为你们乌鸦都是些聪明的鸟。可现在我却看到了相反的情况。马上迈步前进，别老是啰嗦！我们单独行动，谁也不能成功，只有两个人在一起才会最后胜利！起来，阿凡思，别把我抛弃。当一只勇敢的鸟儿！"

"是啊，如果我还是一只鸟的话……"阿凡思叹了一口气，又迈开了脚步。

第 五 章

阿凡思大闹面包店

过了中午，一个渔村的教堂塔尖出现在他们眼前。

"阿凡思，我的胃快要瘪了。"魔法师说，"你知道吗？我们不是还有五个铜板吗？我们可以用它到村子的面包店去买一个大面包。这个建议怎么样？"

"好是好，"阿凡思说，"但是，怎么去买呢？我不会说人类的话呀。我第一次进入一个村庄时，遭遇可不怎么样。人类不喜欢我。"

"如果看到你手里有钱，他们就会喜欢你的。"魔法师考虑了一下说："你听着，我们这么办：等我们到了面包店，我替你说话！我当然不能让人看见，所以要藏在你的皮帽子里。只要一听见我说话，你就要动动嘴唇，这样人们就会以为是你在说话。你把钱放到柜台上，拿过面包，我们就走。你不必做别的事情。你能行的，阿凡思。"

过了不久，阿凡思已经踏上渔村泥泞的道路。魔法师藏到了皮帽子里面，他蹲下身，不让人看见。但在这个又潮湿又寒冷的天气里，根本也没有什么人上街。一只

078

毛茸茸的小狗从门洞里探了一下头,向阿凡思咕噜了几声。但所幸的是,它没有出来。然后,魔法师发现了面包店的招牌。

"我们到了。"魔法师说,"进去吧,阿凡思!别忘了,我说话时,你得动嘴唇!"

摩多万深深藏到皮帽子里面,阿凡思推门进了面包店。

噢，里面的味道可真香！阿凡思的口水都要流出来了。面包师和他的妻子老板娘站在柜台的里面，睁大眼睛望着这个怪异的不速之客。

"上午好！"摩多万在皮帽子里说，阿凡思立刻同时动了三下嘴唇。看起来配合得天衣无缝。

面包师对那沙哑的声音有些感到奇怪。可这有什么，顾客至上。

"上午好！"面包师说，"您想要点什么？"

"请给我一个大面包。"那个满脸胡须的男人用沙哑的声音说。

"好的，先生！"面包师说着把一个大面包放到柜台上。阿凡思盯着面包，眼睛里闪出了兴奋的光芒。

"五毛钱。"面包师说。可是阿凡思却没有任何反应。

"阿凡思，给钱！给钱！"魔法师在皮帽子里说。阿凡思终于把目光从面包上移开，把五个铜板搁到了柜台上。面包师已经感觉到了有点什么不对劲。然后他看到了铜板。"您给我这几个旧铜板干什么？"他疑惑地说。"它们早就过时不能用了！"

这我可没想到！魔法师在皮帽子里想。现在该怎么办？

这时阿凡思已经拿起了面包，在上面狠狠咬了一口。

"嘿，你！"面包师高声喊道，"你得先付钱！难道你没有真正的钱吗？你是想要弄我呀，小子！"

　　阿凡思一句话都没有听懂。他只是无辜地看了面包师一眼,然后又庄严地吃起面包来。

　　"阿凡思,快跑!"魔法师用乌鸦语喊道,"拿着面包赶快跑啊,越快越好!"

"可为什么呢,摩多万?"阿凡思哇哇叫了一声。

这时,面包师已经伸手抄起了大勺子,从柜台后面跑了出来。

"天哪,不要打他!"面包师的妻子朝丈夫喊道。

阿凡思终于明白了。他立即冲向大门,想把门拉开,可是面包师已经来到他的身后,举起大勺就朝他的头上砸去。这一勺差点砸在摩多万身上。他凄惨地哇哇尖叫着,飞起来时翅膀扇到了面包师的脸上。大吃一惊的面包师立即向后退了几步,趔趄着坐到了装有新鲜小面包的篮子里。

这时阿凡思已经拉开了门,不知所措地跑到了外面。打在他头上的那一勺子,对他倒是没有什么,因为他戴的那顶皮帽子很厚,减缓了大勺的力量。阿凡思狂奔起来,就好像魔鬼就在他的身后。他拐进了一条小横街,顺着一道长长的木板围墙,然后又两次在房子拐角处转弯,最后终于进了一条死胡同。胡同的尽头有两条黄狗在那里游荡,它们一看到阿凡思,立即就向他冲了过来。阿凡思赶紧把面包塞在怀里,狼狈地爬到了墙上。身后的两条黄狗冲他疯狂地乱叫了一通。

阿凡思现在站在了一个狭窄的院子里。前面不远的地方是一座两层楼的房子,大门敞开着。这时阿凡思只有一个想法:躲起来!找一个安全的藏身之处!他迈着大步走到门口,他看到一个楼梯,马上跑了上去,上面又有几个门，他进入了一个房间，把身后的门关上，于是——阿凡思消失不见了……

面包店里这时已经乱作一团。店门在阿凡思身后关上，摩多万无法跟着他飞出去。他慌乱地在店里飞着，想找到一个出口。面包师气愤极了，抓起了一切能找到的物件向魔法师乌鸦扔去。小面包、大面包、麻花面包、笤帚和勺子满天飞。摩多万飞到柜台的后面，一下子掉进一大盆面粉里，他哇哇叫着又飞起来，搅起了一片白色的粉雾。面包师吼叫着、谩骂着。这时一位女顾客开门进来，门刚刚推开，摩多万就从她的头上飞到了外面。他像发疯了似的扇动着他那残缺的翅膀，尽快飞上了天空。飞过三栋房子以后，他就没有了力气，跌到了一栋房子的屋顶上。他躲到烟囱后面，喘着气望着下面的街道。

面包师站在店门口又喊又骂。附近房子的窗子打开了，人们把头伸出了窗外。一些男人和女人陆续走了出来，聚集在面包店门前。他们手中拿着棍棒，激动地交谈着。摩多万听不太清他们在说什么，但有几次似乎传过来"强盗"这个词。

真怪，魔法师想。看来，面包师把阿凡思当成了强盗。当然，他的长相确实像是强盗中的大头目，但他的行为其实是很平常的。一个人没有钱支付面包钱，也不至于用大勺打人脑袋吧？或许因为这个地方经常有强盗出没，于是面包师就把阿凡思当作强盗了。是的，情况可能就是这样。很可能也是那些强盗把我的塔楼放火焚毁

了。天啊,我怎么生活在这么一个倒霉的时代呢?而且我现在还是个不能正常飞翔的乌鸦!越早找到女巫美娘就越好。可是,阿凡思藏到哪儿去了?这个家伙真是一个克星老鸹!我必须去找他。如果这些人找到他,非把他打死不可……

摩多万在屋顶上又等了一会儿,等到下面的人散去,又开始尝试飞翔。但每次也只是飞出不过二十米。于是,他就一个屋顶一个屋顶地飞,在房子上面四处张望,而且一直"阿凡思,阿凡思"地哇哇喊叫着。

然而,阿凡思却始终不见踪影,魔法师已经筋疲力尽了。摩多万终于放弃了寻找。他确实是太疲倦了。摩多万坐在村子边上的一家渔家房舍的房檐上,悲伤地望着河流的方向。谁知道呢?他想。或许阿凡思早已摆脱了危险。他可能正在一个什么地方的田野上不知所措地待着,这个可怜的家伙。那么我呢?我现在该怎么办?

第六章

好心的白鸽

就在摩多万坐在那里哀叹的时候，一只白鸽落到了房檐上，好奇地跳了过来。

"你这是怎么了，乌鸦?"白鸽问道，"你生病了吗?"

"没有，"摩多万回答，"我没有生病，但如果继续这样下去，我可能很快就会生病的。"

"告诉我，到底发生了什么事情?"白鸽说，"或许我可以帮助你呢?"

于是，摩多万讲述了在面包店里的危险遭遇。

他没有告诉白鸽，他并不是一只真正的乌鸦，因为他怕吓着这只善良的鸟儿。有关阿凡思的故事已经够奇特的了。

"从这以后，我的朋友就不见了。"摩多万讲完了他的故事。"我无法继续寻找，因为我失去了很多羽毛。另外，我已经有两天没有吃东西了……"

"我知道我们应该做什么了!"白鸽说，"你在这儿等我，我马上就回来!"

她飞走了，很快消失在房子的后面。

不久，在远远的教堂那边，一大群鸽子飞上了天空。他们在渔村上空盘旋了几次，然后分成了许多小组，向各个方向飞走了。

过了一会儿，白鸽飞回摩多万的身边。"你刚才看见

那群鸽子了吗?"她说,"村子里所有家鸽现在都在寻找你的朋友,乌鸦。他们也将飞向田野和河边去寻找。你放心,我们会找到他的!"

"谢谢。你真好,"摩多万说,"告诉我,白鸽,你们对这里的了解,肯定就像了解自己的口袋一样,你知道这附近有强盗出没吗?"

"不,"白鸽说,"我没有看到过强盗。但大约一个月前,村子里发生了多起夜间失窃案件。从此以后,村民们就对所有的陌生人有所怀疑。更多的我就不知道了。我们鸽子晚上睡觉,所以夜里发生了什么事,我们知道得很少。"

就在白鸽说这些话的时候,摩多万慢慢闭上了眼睛。

"哈罗,乌鸦先生!"白鸽喊道,"不要睡觉,否则你会从房顶上掉下去的!你肯定是很累了。我知道附近有一片屋顶平台,是农民们存放粮食的地方。吃一顿好饭,睡一个好觉,对你可能再合适不过了。"

"是的,你说得很对。"摩多万说。

"你还能飞一段吗?"白鸽问道。

"我试试吧。"魔法师回答说,并费力地扇动起残缺的翅膀。白鸽飞在前面,摩多万跟在她身后。

白鸽落在河边的一间仓库屋顶上,并进入了一个天窗里。摩多万费力地跟了上来。

在仓库的阁楼上,放着一个打开口的面袋。摩多万立即冲了过去，急匆匆地把他的肚子填饱。白鸽嬉笑地望着他。"吃饱肚子，然后好好睡一觉吧。"她说，"我先去看看我的同伴们。如果我们找到你那有大胡子和大鼻子的朋友，我立即就回来。"她说完就又从天窗飞走了。

谁会想到，这么普通的麦粒会这么好吃！这就是摩多万最后的思想，然后，筋疲力尽的他就心满意足地睡

着了。

摩多万在面袋上足足睡了两个小时。他醒来时，阁楼上已经很暗了。从天窗摩多万还能看见被晚霞染红的天空。他飞上了屋顶，坐到了屋脊上。"阿凡思啊，阿凡思，你在哪里？"魔法师喃喃地说。

这时，他在屋顶上看见白鸽飞了回来。她落到了魔法师身旁，有些难过地望着他。"亲爱的乌鸦，"她说，"真的找不到你的朋友。我们把四周找了个遍。他要不在空气中蒸发了，要不就还在村子里，反正没有在田野上。"

"嗯……"摩多万说，随后就陷入了沉思之中。

"你现在想怎么办？"白鸽问道。

"说句实话，我确实没有了主意，"摩多万回答，"看来我没有别的办法，只好留在这里等他，等到我的羽毛

长好,然后再上路吧。"

"或许我们明天能找到你的朋友。"白鸽安慰他说,"留在这儿吧,这是一个好地方。我必须飞回家了,现在天已经黑了——已是睡觉的时间。祝你晚安,乌鸦!"

"晚安,白鸽,再次谢谢你!"摩多万在她身后喊道。

他一个人留在了屋顶——一只羽毛纷乱的乌鸦,孤独地站在晚霞之中。

第七章

喜重逢

　　就在这时,面包师和老板娘已经关闭了店门。下午发生的事情使他们无法安静下来。他们把与乌鸦战斗留下的痕迹清除干净。但面包师的情绪仍然平静不下来。他不断地骂着。"这些强盗,该死!"他一边把撒在地上的面粉收拾起来,一边嘟囔着,"这个该死的家伙竟然在光天化日之下来到我的店里!他很可能是为他的同伴来探路的,看我们这里是否有什么好东西。这个强盗,这个该死的东西!他们偏偏派了这么个丑八怪来。我当时就感到不太对劲。喏,我还是给了他点教训!他不敢很快再到村子里来的!"

　　"现在,安静下来吧,弗兰茨,"老板娘说,"其实也没有出什么大事。而且,也不能肯定地说,他就真是个强盗。"

　　"不是强盗还是什么!我的感觉还是很准的,"面包师说,"像你这样好心,迟早会被强盗抢光的。"

　　"好啦,好啦,"老板娘说,"有一点我还是不明白,他为什么要带一只乌鸦来呢?一个强盗,帽子里藏一只乌鸦进入面包店——这不是令人匪夷所思吗?"

"他肯定是有什么不寻常的想法,这个坏蛋!"面包师说,"你肯定又要反对我的说法!强盗的事你懂多少啊!"

"你知道的那点事,我早就知道了,你以为你是个万事通!"老板娘针锋相对地说。

"啊,你闭嘴,去睡觉吧!"面包师说,"我马上就过去,我先去把后门关上。"

老板娘嘟囔着爬上了楼梯,走到二楼,脱了衣服,洗了脸,换上睡衣,走进了卧室。她把窗子打开,想透透气,然后就上床了。

太阳下山了,房间里已经有些模糊。突然,她听到了打呼噜的声音。

"弗兰茨?是你吗?弗兰茨?"她问道,把羽绒被掀起了一角。突然,她看到了长鼻子、长胡须、戴着皮帽子的阿凡思,她立即尖叫了起来,声音又长又响,全村的人肯定都能听到。

阿凡思像被毒蜘蛛咬了一口,立即跳了起来,吃惊地望着老板娘。

这时第二声尖叫又响了起来,比刚才的叫声还要尖利。面包师已经奔上楼梯冲了过来。

可他还没有来到门口。阿凡思已经跳到了窗外。砰的一声,他摔到了地上,赶紧顺着村子的大道跑了下去。

左右的房子里，灯光都亮了起来，狗开始吠叫，人声嘈杂，响声越来越大。有一栋房子的门被推开，一个男人手中拿着猎枪走了出来。阿凡思立刻拐进一条小胡同，继续往前跑去。这条胡同直接通向河边。

　　在仓库屋顶的摩多万也听到了老板娘的尖叫声。出
了什么事？他想。听起来，似乎有人遇到了我的阿凡思！
魔法师抻长脖子，正在思考是否应该冲到村子里面去看
看，却见阿凡思已经从胡同里跑出来。我就知道嘛！魔法
师想。阿凡思，这个倒霉蛋！"阿凡思！阿凡思！"他哇哇叫

着朝他飞去。

"摩多万!"阿凡思喊着把乌鸦抓在手中。

"这么长时间,你到哪儿去了?"摩多万说。

"唉,摩多万,"阿凡思说,"人类真是太可怕了。他们又在追捕我,我其实什么坏事都没干。我们快从这里消失吧!"

这时,几乎半个村子的人都动员了起来。喧闹声越来越响,胡同口已经出现了两盏灯笼,在那里摇晃着。

"是的,这也是我的想法,我们必须马上消失。"魔法师说,"快往河边跑,我们上渔船!快,阿凡思!"

阿凡思很高兴,摩多万又来到自己的身边,要是他自己肯定会不知道现在该怎么办。

他跑到了河边,那里有一根拴船的桩子,一条渔船固定在上面。阿凡思跳上了渔船,把绳索解开,水流立即把船冲离了河岸。

"干得好,阿凡思!"魔法师赞扬道。

第八章

泛舟河上

村子里的灯光越来越小了,周围只剩下漆黑的夜。

"现在告诉我,都发生了什么事情?"魔法师问道。阿凡思详细讲了一切。

听他讲完,魔法师笑了起来。"阿凡思,"他说,"我真不该把你一个人抛下。感谢上帝吧,我们很快就会到女巫那里了。乘船我们会走得更快一些,你也不需要走路了。其实我早该想到这个。你还有点剩余面包吗?"

阿凡思把手伸进衣服里,拿出了一块面包皮。

"一个大面包,就剩下了这么一点吗?!"魔法师问道。

"是的,"阿凡思回答说,"我都给吃掉了,现在肚子还胀得难受。"

"活该!"魔法师说,"你真是太贪婪了。怎么也应该惦记点我吧!"

"对不起,摩多万。"阿凡思说,"但我实在太饿了。"

摩多万把面包皮吃掉,然后就钻进阿凡思温暖的大衣里面。"我得睡一会儿觉。"他说,"等天一亮就叫醒我。你坐在船里不要乱动,否则船会翻掉的。"

"我会留意的,"阿凡思说,"你睡吧,摩多万,我为你

守夜。"

"但愿吧。"魔法师说着闭上了眼睛。

小船随波逐流,静静向前漂着。

没有风,满天星斗的夜,甚至不怎么冷。

阿凡思呆呆地望着水面。

他们很不友好!他想,这些人类十分不友好!

但他们有很好的床铺……

他又想起了面包师家里的软床,然后,他也睡着了。

天已经蒙蒙亮,阿凡思醒了过来。他的手脚都有些僵硬了,后背也有点酸疼,但他不敢动弹,因为魔法师还在睡。河面上升起一片雾气,河岸已经很近。

阿凡思看着看着,突然看见河边有一个奇怪的大动物,身上还骑着另一个怪人!那个动物正在那里饮水。

阿凡思吓得不轻,一下子尖叫起来。

那个动物和骑士立刻消失在岸边的灌木丛中。

阿凡思的叫声惊醒了摩多万。"怎么了?"他把头探出大衣问道。

"摩多万,刚才我见到岸边有一个可怕的动物,还有一个骑士。"阿凡思说。

"在哪儿?"魔法师问。

"就在那儿,现在已经走开了。"阿凡思激动地说。

"那个动物长得什么样子?"摩多万问。

"很大,"阿凡思说,"而且特别丑陋!"

"嗨,没什么,"摩多万说,"只不过是一匹马而已。"

"不，那绝不是马，"阿凡思说，"比马矮，一身的灰色。"

"那就是一头毛驴。"摩多万说。

"也不是，"阿凡思说，"毛驴没有这么扁平。而且它也没有脖子。"

"这样的动物根本就不存在！"摩多万说，"或许你只

是在做梦吧,阿凡思。不过你把我叫醒了,这很好!我们可能已经进入了女巫美娘住的地域。在河上看不见她的房子,但我记得,河水在她的房子前面有个急转弯,那里竖立着一块圆形的红色岩石。睁开眼睛好好看着。我们可别错过那块岩石!"

"好的,摩多万!"阿凡思说。

这时,天已经大亮了,可却下起雨来。细细的雨丝从灰蒙蒙的天上撒落下来。"倒霉的天气!"魔法师骂道。

小船又走了整整一个小时,那个急转弯的河道才出现在他们的眼前。

"这里就是!"魔法师说,"阿凡思,准备好,我们在转弯处上岸!"

水流把小船挤到了河岸。这里的河岸是平坦的石子地,它的后面就是那块红色的岩石。阿凡思下了船,摩多万终于松了一口气。"现在就不会有什么问题了。"他说。"树木的后面,应该是一个小山丘,山丘上就是女巫的房子了。走吧,阿凡思,再走几米路,我们就到了!"

第 九 章

女巫美娘

雨越下越大。阿凡思的大衣已经被雨水浇透，越来越沉重了。阿凡思费力地穿过岸边的灌木丛，转眼就来到山丘的前面，山丘上确实是女巫美娘的房子。

这是一座低矮的草顶房舍，上面有三根高高的烟囱。女巫房舍周围，放置着十几个阴郁的稻草人。

"你不必害怕，阿凡思，这只不过是吓唬鸟的稻草人而已。"魔法师说。

"我知道，"阿凡思答道，"我还不至于这么笨吧。其实没有一只鸟惧怕这些稻草人，这只不过是你们人类的迷信罢了。"

阿凡思爬上了山丘，到房舍门前敲门。但房子里没有任何动静。他又敲了几次，把门把手按下去——门是锁着的，女巫没有出来开门。

"或许她不在家吧？"阿凡思问道，"百叶窗也全是关着的。"

"到房子后面去，或许这不是正门。"魔法师说。

这时,雨已经变成倾盆大雨了。阿凡思已经看不清两米以外的东西。

他扶着外墙向房子后面走去,突然,脚下的地面下沉了,一个陷阱露了出来,阿凡思带着魔法师一起掉进一个黑暗的管道中。他们尖叫着消失在地下。管道直通到女巫房子的地窖。阿凡思像一发炮弹一样被管道发射出来,然后又下落了将近两米。所幸的是,地窖的地上铺着厚厚的干草,所以降落在这里他并没有受伤。

摩多万也没事,但两个人都受了一场惊吓。

魔法师扇动着翅膀,从阿凡思的大衣里爬了出来,喘着粗气,落到了干草上。地窖黑得就像是一个矿井。

"摩多万,你还在吗?"阿凡思问道。

"是的,我在这里。"魔法师喘着气回答。

"我们这是在哪里呀?"阿凡思害怕地问。

"我们不该来的地方——是一个陷阱。"魔法师回答。"等一等,让我喘口气……"

就在这时,地窖的天窗打开了,一条绳子拴着一盏灯降了下来。然后,女巫美娘的头也出现在天窗处。她一点都不美!一张满是皱纹的大扁脸,一个小小的鹰钩鼻子,一双异乎寻常的大眼睛,她的长相就像是一只干瘪的老猫头鹰。她疑惑而好奇地盯着阿凡思和乌鸦。

"美娘!"魔法师喊道,"是我呀,摩多万!"

女巫听到这句话,惊了一下。

"摩多万?魔法师摩多万?"她说,"你在哪儿,我怎么

看不见你?"

"我变成乌鸦了!"摩多万说,"还记得你送我那几枚魔法李子吗?前天我吃了一枚,结果就变成了一只乌鸦!"

"那个人是谁?"女巫问道。

"这是阿凡思,"魔法师说,"他也吃了一枚李子,之前他是一只乌鸦。"

女巫哈哈大笑起来。"摩多万,你都干了些什么呀?!"她说。"稍等片刻……"她的头从天窗消失了,然后放下来一张梯子。

阿凡思拿起魔法师,爬了上去。

"跟我来!"女巫说。

她带领阿凡思和魔法师穿过一条狭窄的走廊,上了楼梯,然后到了一间大客厅。壁炉中的火发出毕毕剥剥的声音,墙壁的书架上尽是些古老的书卷,天花板上悬挂着干枯的植物和蘑菇,壁炉前面摆放着软软的沙发。

阿凡思真想立即躺在上面。

"先把湿衣服脱下来。"女巫说着帮助他脱下大衣。阿凡思脱掉衣服,女巫给他一条毛毯。

摩多万一直站在壁炉前面,把翅膀展开,好把它烤干。

"唉,美娘,"他说,"我们两个确实过了两天倒霉的日子。我很高兴,终于来到了你这里!但在我讲述这些之前,你得赶快再给我们两枚魔法李子,让我们重新变回

原来的样子!"

"唉,摩多万,"女巫说,"我很抱歉,因为我没有魔法李子了。我当时都给你了。"

魔法师一听到这句话,差点没晕过去。

"没有李子!"他哇哇叫着,绝望地望着女巫。阿凡思从毛毯里呆呆地朝外望着。

"别着急!"女巫美娘马上说,"我们会有办法的!千万别着急,摩多万!你先放松一下,暖和一下,我去给你们烧一锅浓汤。"

魔法师和阿凡思沮丧地对视着。

女巫急忙去烧汤,不久就回来了。"喝吧,喝完汤,你们马上就会感觉舒服了。"她说。阿凡思立即贪婪地冲向汤碗。

摩多万只用尖嘴啄了一下滚烫的浓汤。"我现在什么都不想吃,"他说,"告诉我,美娘,我怎么才能从这个见鬼的处境中解脱出来呢?你有什么主意吗?"

"先告诉我,这一切都是怎么发生的。"女巫说。于是,摩多万详详细细地把事情的来龙去脉讲了一遍。女巫特别关注雪中的怪脚印。"小洞,像高跷踩出来的?"她说,"嗯,确实奇怪。我前几天也在河边看见过这样的脚印。所以我才设置了那么多起威慑作用的稻草人和那个陷阱。你们掉进陷阱时,我还以为是捉住了那些奇怪的不速之客呢。反正是什么地方有点不对劲。这个地区正在发生什么大事,而且和魔法有关系!我曾问过我的水

晶球,但它不想给我看图像。这就完全可以证明,一个强
大的恶势力在作法。"

　　"好吧,"摩多万说,"当前我最关心的是我如何再变
成人。你能帮助我吗,美娘?"

058

女巫从书架上取下一本古书,坐到了靠椅上。"我给你讲过,那几枚魔法李子是从哪里来的吗?"她问道。

"不,没有。"魔法师说,并啄了啄阿凡思的大鼻子。因为阿凡思又睡着了。"阿凡思,快醒醒,听她说什么。"魔法师对乌鸦人喊道。"是关于魔法李子的事。你等会儿再睡觉!"

阿凡思睡眼蒙眬地坐直了身体,竖起了耳朵。

第 十 章

魔法书的启示

　　女巫美娘用乌鸦语讲了下去："你知道,摩多万,我常常到附近的村庄去卖我的草药。有时也有病人请我去家访,我尽量帮助他们。如果用草药不能解决问题,我也使用一点魔法,为他们驱赶恶鬼什么的。这你都明白。几年前,曾有一位老妇人叫我到她的病榻旁。我一眼看见她,马上就知道,谁也帮助不了她了。她已在弥留之际。老妇人也很明白自己的处境。就在这个夜里她也确实死了。但在这之前,她向我透露了一个秘密!可惜她已经无法说得很清楚了,所以我也没有完全听懂。她向我讲了她的青年时代,讲到她曾在一个邪恶巫师家里当过帮工还是管家什么的。那个巫师叫古古磨,或者古嘎嘛。那是一个权力欲很强而且很富有的魔法师,曾使很多人陷入灾难之中。他用法力让人们生病,然后进行敲诈。如果不给他钱,他就会用恶毒的法力杀死那些人。那肯定是一个很坏的家伙。那个老妇人后来离开了他。离开之前,她拿走了他一些魔书和法物,然后还放了一把火把他的房子烧光。她去了很远的地方，在一个村子里开始了新的生活。除了我，她对谁都没有讲过她的这段往事。那个巫师古嘎嘛，她也再没有见过。

她死之前，给了我一个纸盒，里面装着魔法李子，并给我讲了这些李子的效用。还有这本魔法书，也是老妇人送给我的。那几枚李子对我没有什么用，后来就送给了你，摩多万。如果当时我知道，你会干这种傻事，我肯定早就把它们扔掉了。

这本书对我也一直没有用处。里面都是些公式和不易弄懂的图形和文字。其中也有些故事，但都过于神奇，至今我还认为都是些胡编出来的童话。但有一个小故事，是讲魔法李子的。我现在给你们读一下，或许会对你们有帮助。"

阿凡思和摩多万一直紧张地听着女巫的讲述。女巫翻开那本古书，开始读了起来：

"在接骨木大平原，紫色的锯齿山脚下，有一片湖水，它的名字叫'S'。只有夜里才能踏上湖中的小岛。那里有一棵大树，无叶无皮。敲一敲它，并高呼'蚕豆开门'这句咒语，就可穿过这棵树，进入遭诅咒的乌龟园。那里生长着魔法李子和大力苹果。只要吃下这些李子，就可以使动物变成人类，也可使人类变成他正在想的动物。再吃一枚这样的李子，又可以变回原形。苹果吃了以后，可以使人或动物变得力大无比。再吃一只，就会变成原来的样子。来访者，请谨慎行动！"

　　女巫美娘读完，把书合上。摩多万兴奋得在房间里四处蹦跳着。"就是它！就是它！"他哇哇叫了起来。"阿凡思，我们有救了！我们有救了！"

　　阿凡思虽然只听懂了一半，但也是笑容满面，闪着红光。

"摩多万,别乱跳了!"女巫美娘说。"你当乌鸦比当人还要疯狂。事情并不那么简单。因为书中并没有说那片湖水和那座小岛在什么地方。"

"那有什么,"魔法师说着飞到了女巫的肩膀上。"我们会找到的!这其实很简单:接骨木大平原——这只能是南方的一个大平原。那里生长着很多接骨木。紫色锯齿山——又是一个鲜明的标志!然后就是'S'湖——我们只需要找一个S字母开头的湖就行了。如果湖中还有一座小岛,那就是它了。明天一早我们就出发,是不是,阿凡思?"

"是的,摩多万。"阿凡思说。

"我不想给你们泼冷水。"女巫说,"但是,你想一想,摩多万,那片湖水也可能在另外一个国度。生长接骨木的平原和锯齿形的山峦,到处都有啊。"

"我们会找到的!"摩多万满怀信心地说。"好了,我现在的胃口也来了!再给我们烧一盆浓汤行吗,美娘?"

女巫笑了,立刻给这只乌鸦端来一碗汤。

"我在汤里放了一点蜥蜴粉末,"她说,"这是一种强烈的生发剂。我想,这会对你修复羽毛有帮助。在夜里你的羽毛会再生的,摩多万,然后你就可以飞了。"

"太棒了!"魔法师说,然后就把尖嘴伸进了汤碗里。

"而你呢,阿凡思,我也给你准备了好东西。"女巫美娘说,"把这颗坚果吃下去,它可以给你力量,这样你就可以长途旅行了!"

阿凡思立刻把那颗黄色的坚果连壳一块吃了下去。

"好了,"女巫美娘说,"我现在要去睡觉了。你们也很累了。把蜡烛熄灭。晚安,好好睡一觉吧!"

"晚安,美娘!"阿凡思和魔法师也说。

女巫关上门,去了房子另一端的卧室。

阿凡思把毛毯紧紧裹在身上,魔法师扇动翅膀把蜡烛熄灭。然后他飞到了靠椅的椅背上,闭上了眼睛。房间里很暖和。壁炉里的火放射着红色的余光。

"摩多万?"阿凡思睡前说,"女巫为什么叫美娘呢?她根本就不算美呀。其实应该是女巫丑娘才对。"

"别这么不会说话,阿凡思。"魔法师说,"别打击美娘,她也没有办法改变她的容貌,或许她年轻时很美吧。反正她的名字就是美娘。而且,你长得也不像童话里的王子呀!"

"那倒是,确实如此。"阿凡思说,他翻了个身。"晚安,摩多万!"

"晚安,阿凡思!"

第十一章

重新上路

夜里，一场暴风雨降临了。但两个筋疲力尽的睡虫却<u>丝毫</u>没有察觉。

早上，雨停了，一股强风开始吹了起来。

女巫美娘很早就起床，在厨房为大家准备了早饭，然后把百叶窗打开，唤醒阿凡思和摩多万。阿凡思的衣服在夜里已经烤干了。

他急忙把衣服穿好。

这个早上，他一点都不累了，可能是女巫昨天晚上给他吃的那颗坚果起了作用。摩多万同样感觉好极了。美娘又摸了摸他的翅膀。"把翅膀展开，摩多万。"她说，"啊哈，我的生发剂还是起了作用。你现在已经多了些羽毛，能感觉得到吗？"

"是的，确实多了些，"摩多万说，"我的感觉很好。我马上要试飞一下。"

女巫为他把门打开，魔法师朝河的方向飞去。强风开始时给他造成了点困难，但他很快就适应了。飞行给

他带来了很大的快乐。

　　我们最好先乘船往下游走一段，摩多万想。但当他来到河道转弯处时，看到那只小船在夜里已经被河水冲走了。魔法师又飞回女巫房舍。

　　阿凡思和女巫美娘已经开始吃早点。阿凡思又像一台割草机那样猛吃起来。一块蛋糕接着一块蛋糕，在乌鸦人的大胡须后面消失了，而咖啡，他甚至想拿起壶来直接喝光。

　　"别吃这么多，阿凡思！"魔法师说，"否则你又会很快就累了。今天白天可不许睡觉。你还要走很长的路，因为我们的小船不见了。"

"放心让他吃吧，"女巫说，"那颗黄色坚果会让他保持清醒的。怎么样，摩多万，你不是不想当乌鸦了吗？其实，你和阿凡思完全可以留在我这里，我每天都给你们做好吃的，这个主意不错吧？"

"快别说了，"魔法师说，"否则阿凡思都不想挪动脚步了。我继续当乌鸦？美娘，你是在做梦吧！"

"我只是想为这个想法增加点作料，一旦你们找不到那个遭诅咒的乌龟园的话，"女巫说，"你们就可以回到我这儿来。我随时都愿意接待你们。"

"谢谢，你真好，美娘。"魔法师说，"但我还是希望另一种结果。阿凡思，你吃好了吗？来，站起来，我们得走了！"

阿凡思和摩多万向女巫美娘告别。

临行前，美娘还给了阿凡思一大口袋食品和一把雨伞。

于是，他们带着满身的装备上路了。女巫一直向他们招手，直到他们在河边草原后面消失。

魔法师还是由阿凡思抱在大衣里面，只是把脑袋探到外面。阿凡思多次留恋地回头观望女巫的房舍，但魔法师却一再催促他快往前走。

"不要再回头了，阿凡思，"他说，"好好往前走。要记住，你很快就要变回一只美丽的黑乌鸦了。"

"好的，摩多万。"阿凡思沿着河岸向前走去。他们一直走了好几个小时，后来河岸变得泥泞了，他不得不绕

到平坦的田野中去。他们终于来到了一个很美的地方：
长满青草的低矮山丘上，耸立着高大的杨柳和小小的树
林，部分树木上还保留着很多树叶。当他们穿过一片桦
树林时，另一幅美景图画展现在他们眼前，桦树叶变成
了金黄色，就像是闪闪发亮的金币一样。

　　中午时分，一个小村庄在山丘之间出现。阿凡思不

想进入村庄,为了避开它,绕了一个很大的圈子。几次和人类的尴尬遭遇,还清晰地印在他的记忆当中。

过了不久,前面的地貌越来越平坦了,一片大平原出现在眼前。

"你累了吗,阿凡思?"魔法师问。

"不,一点都不累!"阿凡思回答,"今天走路给我很大的欢乐。我的脚似乎自己在朝前走,我感觉像飞行一样轻松。"

"是的,这就是那颗坚果的效力,"魔法师说,"那就继续往前走吧,阿凡思。现在越来越有趣了,因为我们已经来到大平原。但愿今天不要再下雨了。前面那片灰色的云彩我很不喜欢。"

"下雨也没关系,"阿凡思说,"我们不是有雨伞吗?"

阿凡思逐渐走进大平原的深处。确实,这里到处都是接骨木灌木丛。看来,他们走对了地方。

他们不间断地走了很久,接近傍晚的时候,阿凡思突然放慢了脚步。

"摩多万,现在我开始感到有点累了。"他说,"而且肚子也饿得咕咕叫。"

"好吧,我们休息一下,"魔法师说,"到前面那个槐树林吧。那里还可以避风。"

一股股小小的凉风吹了过来,天空被浓密的乌云笼罩着。

阿凡思向小树林走去,在树木之间找到了一块合适

的地方。然后他就把随身携带的食品袋打开。只见里面
有面包、培根、一根香肠和一大块干奶酪。女巫美娘还给
他们带上了一瓶蓝莓果汁和几块饼干。阿凡思胃口很
好,饱饱吃了一顿。魔法师只用尖嘴啄了几口面包,这对

他已经足够了。

"阿凡思,你知道吗?"过了一会儿,魔法师对阿凡思说,"我到上面飞一圈,看看周围的环境,我们千万不能错过那片湖水!多好,我现在又可以上天飞了,这是个很大的优势。你在这里等我,最多一个小时我就回来。"

"好吧,摩多万,"阿凡思说,"你回来前,我先睡上一小觉。"

第十二章

烟囱和野猫

　　魔法师展开翅膀，飞上了天空。他向东飞了几公里，然后绕一个大圈盘旋着。他的下面是被染上层层秋色的大平原，头上是浓重的黑灰色乌云。他使劲扇动翅膀，穿过空气向前飞去。看来，我已经慢慢习惯了飞鸟的身体，他想。其实这种感觉还真的不错……至少在某些时候……

　　他集中精力搜寻着地面可能有湖水的明亮的区域，但却只能看到草原和灌木。他本想返回，但身边却飞过来六只大雁。那我就跟过去瞧瞧，魔法师想。大雁喜欢在芦苇荡落脚，或许它们能带我找到湖水。

　　确实，没过多久，大雁就降落到一个小水塘旁。

　　但这不是湖，魔法师想。但看来也是个潮湿的地方。或许湖就在这后面？我再飞一段瞧瞧，然后再返回去。我不能让阿凡思一个人在那里待得太久。而且，看起来马上就要下雨了……

他往前飞着,突然看见一座村庄出现在眼前。他飞近一看,整个村庄已经被烧得精光,被火烧焦的梁柱孤独地伸向空中。摩多万不由得想起了他的塔楼。他降落在荒芜的村子街道上,在地面查寻某些痕迹。他找了很长时间,终于在泥泞的地上发现了那种小洞。

真见鬼!他想。这里到底发生了什么事情?他飞上一个废墟的烟囱,向四下巡视着。但周围静悄悄的,没有一丝异常现象。我觉得,美娘说得对。纵火、盗窃,被毁掉的村庄,而且到处都有那些诡异的脚印——肯定是阴险的恶势力在这里作怪!强盗,但不是普通的强盗。他突然想起阿凡思在河边看见的奇怪动物。看来,阿凡思确实不是在做梦……

一个轻轻的声响打断了魔法师的思路。他想转过身去看看,但后背已经挨了一击,并感觉到了尖锐爪子的锋芒。他大叫一声,奋力挣扎,结果失去了平衡,一下子掉进烟囱里面。摩多万使劲扇动翅膀,才止住了快速下坠。在周围一片黑色烟尘中,他落到了烟囱的底部。烟尘很浓,呛得魔法师咳嗽了起来。黑色烟尘慢慢散去以后,魔法师抬头向上望去——两只黄色的眼睛正在上面的烟囱口处闪闪发光。一只野猫!摩多万想。这个畜生!我只要一降落在什么地方,总是要遭受攻击!我毕竟不是真正的乌鸦。一只真正的乌鸦,可能会更加警觉一些。真该死,现在我该怎么办呢?他想尝试一下在这狭窄的烟囱中还能否飞行。他的翅膀虽然左右都会碰到烟囱壁

上，他发现还是有可能飞出去的。在重新扇起的烟尘中，他又落回了底部。他向上看了看——那只野猫仍然守在那里。

　　我必须保持镇静，或许它一会儿就走了，魔法师想。他闭上了眼睛，想装成死的样子。细细的烟尘使他的喉咙发痒，但他使劲把咳嗽压了下去。我必须离开这儿！我必须离开这儿！他想。阿凡思还在等我，我出来早已超过了一个小时！

　　过了一会儿，他睁开了眼睛，再次向上看了看。野猫仍然一动不动地向下看着。

第 十 三 章

马戏班巴豆粒

阿凡思已经躺在桦树林里,肚子饱饱地进入了深深的梦乡。他这时还不知道很快就会陷入一个多么糟糕的处境。两个奇特的身影蹲在距离他不到三米远的灌木丛中偷偷观察着他。

那是两个男子。一个是彪形大汉,胸脯像公牛一样宽阔,穿着一件蓝色的制服上衣,一条绿色的裤子和一双黑色的皮靴。他的脸上长着浓得夸张的髭须,犀利的目光正在打量着阿凡思。另一个男子是个小矮人。他穿着一件黑色衬衫、一条粉红色的裤子,宽宽的腰带上,插着一根长长的卷起来的皮鞭。他的脸上满是皱纹,丑陋而奸狡。他的头上戴着一顶高桩礼帽,也目不转睛地盯着阿凡思。

"你怎么看,匹夫,这个家伙会不会说话?我敢和你打赌,我们要是把他抓住,他肯定只能像乌鸦那样哇哇叫!"那个大汉对小矮人说。"他将是一个轰动,一个真正的奇迹,这正是我们需要的。我们可以把他当作乌鸦人,或者其他类似的名义展示。"

"我没有绝对把握，巴豆粒。"小矮人回答，"如果他根本就不是一个傻子呢？某些畸形儿甚至具有很高的智商——你看看我就知道了。如果他能够说话，那对我们就毫无价值。"

"我们马上就可以验证。"大汉说，"我抱住他的胳膊，你马上把他的双腿捆起来。你带着绳子了吗？好，开始行动！"

大汉的名字叫巴豆粒，小矮人叫匹夫。两个人从灌木丛中跳了出来，冲向了正在熟睡的阿凡思。还没等阿凡思完全醒过来，他就已经被捆绑了起来。现在，他睁大了眼睛，发出令人毛骨悚然的哇哇叫声。巴豆粒哈哈大笑起来。"他哇哇叫了！"他吼道，笑得弯下了腰。

小矮人阴险地冷笑着。

"走吧，乌鸦人！"大汉说，把眼角笑出的眼泪擦去。他抱起了五花大绑的阿凡思，扛到肩膀上。可怜的阿凡思继续发出绝望的喊声。

他们穿过桦树林，树林另一边停着一辆大篷车。篷布上用红颜色写着"马戏班巴豆粒"的字样。但牵引大篷车的不是马匹，而是两头大马熊。它们脖颈上戴着铁箍，嘴上戴着口套，沉重的枷锁把它们套在大篷车上。巴豆粒把喊叫着的阿凡思身上的绳索解开，塞进了车后面的铁笼子里。"把你的嘴闭上！"小矮人朝阿凡思说，并用皮鞭抽打着铁笼子的顶盖。但阿凡思仍然哇哇叫个不停。

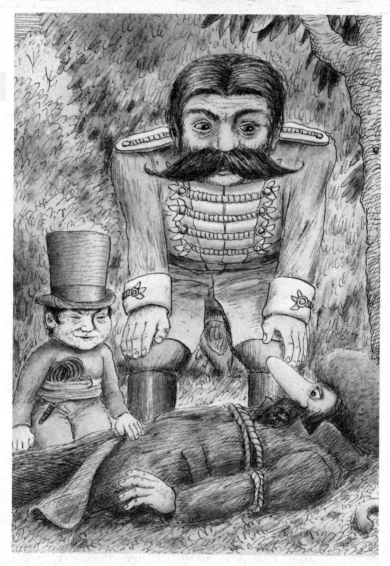

这时两头大马熊也吼了起来。它们会一点乌鸦语言，对阿凡思说了几句什么。巴豆粒和小矮人当然听不懂这些动物的语言。

"你最好保持安静，乌鸦。"一头马熊说，"那个小矮人很快就会使坏的。"

"认命吧，"另一头马熊说，"否则你要吃苦的！"

阿凡思立即停止了喊叫。"他们想让我干什么？"他问马熊。

"你是他们的新展品，"一头马熊回答，"我们现在不能再说话了。你只要保持安静，乌鸦人，就不会有事的。"

"阿特拉斯，朱庇特！"小矮人朝着马熊吼道，"立刻停止吼叫！"他在马熊头上甩了一个响鞭。

"上车，匹夫，"巴豆粒说，"我们得往前走了。也许天黑前还能赶到一个村子！"

小矮人爬上大篷车，又甩了一下皮鞭，套在车辕上的两头马熊拉起车往前走了。

阿凡思坐在车后面的铁笼子里，绝望地望着天空，他在寻找摩多万。

过了不久，天又下雨了。马戏班的大篷车慢慢消失在雨雾之中。

摩多万这时还坐在烟囱里面，和上面的野猫大眼对小眼地对峙着。装死没有起什么作用，野猫仍然在那里岿然不动。摩多万想：它完全有可能坐在上面，一直坚持到明天早上。我是不是应该冒个险冲出去？不行，而且也不可能。我只要一到上面，它就会抓住我，我可不想变成野猫的美食。摩多万呀，摩多万，你真是掉进了墨水，不，掉进了烟灰里洗不清了……

可是，老天却伸出手来助了魔法师一臂之力！天开

始下起雨来,野猫不喜欢雨,它变得烦躁起来,喵喵叫了
几声,终于撤退了。魔法师长长松了一口气。为保险起
见,他又等了几分钟——野猫没有再回来。摩多万屏住
呼吸飞了上去,身后留下了一片烟尘。他从烟囱里冲了
出来,一直飞上了天空。但雨点又把他压下了几米。大风

也增加了飞翔的难度。魔法师咬紧乌鸦嘴，全力与空气展开了搏斗。

他大概用了两个多小时才赶到桦树林。这时天已经黑了，雨越下越大。"阿凡思！阿凡思！"魔法师喊道。但整个桦树林里却没有了阿凡思的踪影。

魔法师苦笑了起来。"我就知道，连一秒钟都不能放心这个可怜的老鸹！"他嘟囔着，"他应该在这里等我呀，这个要求不算过分吧？我的天啊！等着瞧吧，阿凡思！我要是找到你，看不把你的耳朵拉长了！"

但他马上又为阿凡思担起心来。如果是那些可怕的纵火者发现了他，可怎么办？他想。或许他们已经杀死了他，就躺在这里的草地上，可怜的家伙！摩多万吃力地在树木之间搜寻着。

最后，他发现大雨已经浸湿了他的羽毛，于是来到一棵弯曲的树干下面一块干燥的地方，坐了下来。

夜已经很深了。继续找阿凡思已经没有什么意义。摩多万深深叹了一口气，然后闭上眼睛，进入了一个不踏实的睡眠中。

第十四章

失败的演出

几公里远的南方，一棵古橡树下面，巴豆粒马戏班驻扎了下来。巴豆粒情绪很不好，因为他们没有找到一个村庄，而且天又下起了大雨，这又使他的情绪更坏了几分。

他骂骂咧咧地躺在大篷车里，很快就睡着了。

小矮人匹夫也躺在大篷下面进入梦乡。

阿凡思无法入睡。他感到很不幸。风把雨滴吹进铁笼，阿凡思竖起大衣领，把双腿缩起来。他感到肚子很饿。小矮人抢走了他的食品袋，雨伞也被拿走了。这时，两头马熊也坐到了大篷车旁边。巴豆粒把它们绑在了一棵大树上。雨已经下了几个小时。

马熊朱庇特轻声说："乌鸦人！能听见我说话吗？"

"是的。"阿凡思轻声回应。

"听着，我给你几句忠告。"马熊说，"作为马戏班新成员，你必须记住几条重要的规则。不论出什么事，必须保持安静，不要闹事。只有在班主和小矮人要求的时候，

才能开口。如果你反抗，他们就不给你东西吃。你必须留心那个小矮人。他很坏，把用皮鞭打人当作儿戏。另外，他还是一个优秀的飞刀手，帽子里面藏有六把尖刀。如果他把你当目标甩飞刀，你不用害怕，那都是在演戏。但你绝不能随便动弹,听见了吗?但如果他和你单独在一起,那就很危险了。他完全出于娱乐开始折磨你。他是一个歹毒的矮人,这个匹夫!"

阿凡思惊恐地听着。"好的,"他说,"我很怕那个小矮人。我觉得他不喜欢我。但是,我的朋友摩多万很快就会来救我的。"

"你有朋友?"马熊阿特拉斯奇怪地问,"这个摩多万是个人吗?"

"是的,"阿凡思说,"其实又不是,他是一个被魔法变成乌鸦的人。"

"那他就无法帮助你了。"马熊说,"他最好离这里远点。匹夫常常抓乌鸦烧汤吃。"

"可惜他不是一个人,"马熊朱庇特说,"我多希望他也能解救我们啊!啊,我真想从枷锁中解放出来,回到大山和森林中自由自在地生活啊……"

"你们都很强壮,"阿凡思说,"难道你们不能挣脱枷锁吗?"

"唉,乌鸦人,你这样说,是因为你不了解实情。难道你以为,我们没有尝试过吗?枷锁要比你想象的大得多。即使我们能够挣断——那铁脖箍也会让我们窒息,它会妨碍我们行动,然后还有口套……不,我们将永远是他们的俘虏……"

"别出声!"马熊阿特拉斯小声说。"我觉得,小矮人醒了。"两头马熊立即把头低向胸脯,闭上了眼睛。确实,就在这一刻,匹夫把头探出了帐外,疑惑地看了看马熊和阿凡思。阿凡思也回看了他一眼,但不是很久,很快就闭上了眼睛。小矮人狞笑了一下,又消失在大篷中。

是啊,确实是这样,阿凡思想。他确实不喜欢我。摩多万,快来吧,快把我从这里救出去!

雨还在不停地下。阿凡思把双手缩到大衣袖子里面,努力睡觉。

不知什么时候,他也确实睡着了。

第二天早上,又出了太阳,但却刮起了风,把地上的落叶刮得满天飞,就好像满天都是飞鸟似的。巴豆粒和匹夫匆匆吃完早点。两头马熊得到了两棵萝卜,巴豆粒从铁笼子栏杆塞给阿凡思一块面包皮。

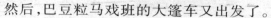

然后,巴豆粒马戏班的大篷车又出发了。

昨夜的大雨把道路浇得又软又滑,两头马熊吃力地拉着大篷车,走得很慢。匹夫不时用皮鞭抽打着他们。有一次车陷进了泥潭,小矮人狠命抽打阿特拉斯和朱庇特,两头马熊疯狂地吼叫起来。巴豆粒阻止了小矮人才使马熊安静了下来。巴豆粒是个粗野的人,但总的说来,还是有一点良心的。

几个小时以后,他们来到一个村庄。小矮人匹夫马上就发现,这个村子有点不对头。"奇怪,"他说,"街上一个人都没有。正常情况下,我们的大篷车一到,就会有一群孩子跑过来的。"

"只要我们一开始,他们就会出来的!"巴豆粒说。

大篷车停在集市广场上。小矮人挂起了一面大铜锣,用锤子一连敲了五下。锣声震撼了村庄。锣声太响了,阿凡思不得不把耳朵捂上。这时,巴豆粒头戴一顶紫色的高桩礼帽,叉着腿,站到了广场中央。他用手揪了揪髭须,扯开嗓子喊道:"女士们先生们!老少观众们!你们将在这里看到你们从来没有见过的东西!阿特拉斯和朱庇特——两头世界上最大和最可怕的马熊,将为你们跳舞助兴!你们将欣赏小矮人匹夫——世界上最好的飞刀手的表演!他倒立用手走起路来,和用脚一样快,他还是个预言家,可以预测未来!来吧,来看天下独一无二的巴豆粒马戏班吧!来为乌鸦人大吃一惊吧!他是半人半鸟,是我不久前在遥远的东方亲自抓到的!"

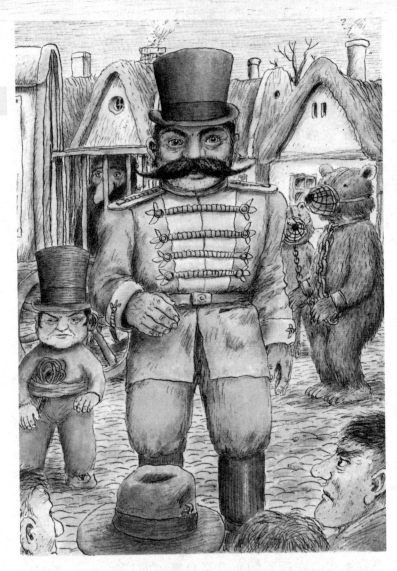

巴豆粒这样喊着,小矮人匹夫双手倒立在广场上来回走着,还不时翻着前滚翻和侧滚翻,然后,两头马熊被从车上解了下来。阿特拉斯和朱庇特已经知道它们现在该做什么。它们用后腿站立,开始转圈,身上的锁链哗哗直响。阿凡思坐在笼子里,睁圆了眼睛看着这些愚蠢的表演。

不论巴豆粒如何高声呼喊,却一个观众都没有。他虽然清晰地看到了很多窗子的窗帘在动,却没有一个村民走出来。

小矮人停止了倒立,眯缝着眼睛望着那些窗子。

"他们这是怎么了?"巴豆粒说,"难道他们怕我们不成?我是不是做得过分了,匹夫?"

"不,"小矮人说,"恰恰相反。这里有点不对劲,我一开始就有这样的感觉。"

他刚说完这句话,从一个院子里走出了五个男人。他们手中都拿着棍子和镰刀,其中的一人还提了一支步枪。他们面孔阴郁,缓慢地向广场走来。

匹夫把帽子摘下来,伸手去摸飞刀。巴豆粒把两只大手叉在腰间,毫无惧色地望着那几个人。"把你们的东西收起来,快离开我们村子!"手中拿枪的男人说。

"别急,别急,诸位,"巴豆粒平静地说,"我不知道,你们把我们看成是什么人,但我可以向你们保证,我们只是一个普普通通的马戏班,只想给大家带来快乐。"

"你们是什么人,这完全无所谓,"那个男人说,"我们不想看见陌生人，就是这样。快上你们的车，赶紧滚出去！我给你们三分钟时间，然后我就要开枪了！"

巴豆粒看到了他手中的枪，和匹夫交换了一下眼神。他们再没有说话，把阿特拉斯和朱庇特套到车上，然后就离开了。

几个男人还站在广场上，一直看着他们的背影，直到大篷车从他们的视线里消失，才又回到房子里。

第 十 五 章

小矮人匹夫

　　大篷车离开村子后,巴豆粒气得把牙咬得直响。"该死的乡巴佬!"他骂道,"他们这是怎么了?如果没有那支枪,我是会让他们知道应该怎么守规矩的,让他们到老也不会忘了我!匹夫,这是我们到过的最糟糕的地方了。"

　　小矮人咬着指甲思索着什么。"我看,我们还是去南方吧。"他说,"南方什么都比这儿强。"

　　不久,他们从一栋烧毁的楼房前走过。楼房的门脸还保持完好。这看起来是一家饭馆,门前还挂着一块招牌。巴豆粒突然停了下来,走向楼房,消失在废墟当中。过了一会儿,他笑呵呵地从里面出来,手中拿着一瓶烧酒。"我就知道,能在里面找到点喝的东西!"小矮人不赞同地拉长了脸。"上车吧,巴豆粒,"他说,"我们赶快离开这个地区。我很不喜欢这里!"

　　巴豆粒上了车,小矮人扬起了皮鞭,车又往前走了。

　　阿凡思坐在车后面的铁笼子里,哭丧着脸。大篷车

越往前走，他越是感到悲伤。摩多万还能找到我吗？他的眼睛一直盯着天空。天空被灰黄色的乌云覆盖着，云被风吹得翻滚不定。

　　阿凡思就这样看着，突然，他看见空中有一个黑点。那是一只鸟！一只黑色的鸟！一股激动的热气在阿凡思胸中升起。难道是摩多万吗?那只鸟越来越近了,但它飞得很高。阿凡思无法辨别那是不是摩多万,或者是其他的鸟。但那的确是一只乌鸦!我该怎么办?阿凡思想。我无论如何得让那只乌鸦注意我!他摘下头上的皮帽,把手伸出笼子的栏杆使劲摇晃着。但那只乌鸦似乎没有什么反应。它很快就要飞过大篷车消失不见了!于是,阿凡思使劲把帽子扔到空中。皮帽在空中飘浮了片刻,最后落到了一片水洼里。

　　阿凡思把脸紧紧贴在笼子的栏杆上,望着天上的乌鸦,但它已经消失不见了。它看见帽子了吗?阿凡思想。它肯定看见了!可它为什么不过来呢?或许这只乌鸦根本就不是摩多万。阿凡思深深叹了一口气,又坐回到笼子的角落里。他感到一阵胆寒,他觉得自己真是没用。冷风吹进了他的脖子,天上的雨云逐渐移走了。阿凡思把头缩进领子里,试图再睡一会儿。但大篷车走在一条坎坷的路上,就像海浪中的一艘小船上下翻腾着。每当阿凡思要打瞌睡时,就会被剧烈的晃动惊醒。他可怜地蜷缩在笼子里,设法想一些美好的东西。但他费尽脑筋也想不出来……

　　过了一会儿,阿凡思在朦胧中听到巴豆粒开始唱起了小调。唱得声音很大,他显然是喝醉了。又过了一段时间,小矮人和巴豆粒开始吵架,阿凡思听不懂他们在吵什么。巴豆粒真的是喝得太多了,尽管喊声很大,却听不清他在说什么,他的舌头已经不管用了。又过了一会儿,喊声突然停止，一个什么沉重的东西砸到了车板上。这当然是巴豆粒。阿凡思开始时还以为是小矮人把巴豆粒推倒了，但他马上就听见了山响的呼噜声。巴豆粒就在高声喊叫中醉倒在地睡着了。

小矮人继续骂了一段时间，又狠狠抽打了两头马熊一阵。阿凡思很同情两头可怜的马熊。他真想走到两头马熊身边，帮助它们拉车，而不是坐在车后面为它们增加重量。

不知什么时候，雨又下了起来。他们现在走过的地区，路面十分泥泞——左右两侧不时出现长满芦苇的小水洼——路在雨水中更加松软。马熊艰难地拉着大篷车往前走。走着走着，车轮突然一下子深深陷在了泥里。马熊的后腿蹬不到结实的土地，不管侏儒如何用皮鞭抽打它们，大篷车就是无法再前进一步。最后，车子的前轮终于陷入了一个泥坑，一直陷到车轴。车走不动了。匹夫破口大骂，就像一只喳喳叫个不停的麻雀。他显然已经看到，没有强大的巴豆粒的帮助，是无法继续前进了。他只好闭上嘴，坐到了大篷布下面，点燃了一支雪茄。

我倒是要看看，你怎么往前走，阿凡思想。但愿他不要忘记了给我分配饲料。我是不是应该表示一下？最好不要。谁知道他会如何对付我，这个臭矮子。可惜他没有喝烧酒。那个大个子比他好多了。

大约一个多小时，什么都没有发生。两头马熊躺在车前睡着了。巴豆粒还在车里面打呼噜，而阿凡思则又

缩回到笼子的角落里。只有小矮人清醒着抽雪茄。后来，
雨不下了，风也停了。陷在泥里的大篷车周围，一片静悄
悄。雨水从旁边的老柳树的干枝上滴滴答答地掉在地

上,除了巴豆粒的呼噜声,这是唯一可以听到的声音。

过了一会儿,小矮人匹夫也发现雨停了。他爬下车来,绕着大篷车走了一圈,仔细观察陷在泥坑里的车轮。

他摇了摇头,沉思着走向那棵老柳树。柳树竖立在一个泥水洼里。侏儒看了看水洼里的水。他突然有了一个新主意,冷笑着回到大篷车旁。阿凡思疑惑地望着他。小矮人来到笼子前,停住了脚步。

"嘿,乌鸦人!"他说,"你在我们这儿感觉怎么样?不是特别好,对不对?哈哈哈!你看,我给你看点什么。你见过漂亮的飞刀吗?"

匹夫摘下礼帽,翻过来让阿凡思看。只见礼帽里面有六把闪亮的尖刀,整齐地排列在一起,银质的刀柄,显得很沉重。他从里面取出一把,突然把手飞速地一晃,好像要向阿凡思投过来。

阿凡思吓了一跳,赶紧退到笼子的角落里。

小矮人狂笑起来。吓唬和折磨别人,是他最大的乐趣。

"留神,乌鸦人!"匹夫说,"现在我再给你看点什么!"他走向柳树,大约在还有十步远的地方停了下来。然后他将六把飞刀闪电般朝柳树甩去。六把刀从上到下笔直地插在了树干上,它们之间的距离几乎分毫不差。

"嘿,怎么样,乌鸦人?"匹夫睁大眼睛望着阿凡思笑着说。小矮人把插在树干上的飞刀拔下来,又站到距离柳树十步远的地方。

　　"现在请注意！"匹夫说。他又将六把飞刀拿在手上，然后同时向树干甩去。这次，六把刀插成了一个完整的圆圈。小矮人的这些动作，看起来是那么轻而易举。他确实是飞刀技艺的大师。阿凡思默默地看着这一切，小矮人又笑了起来,把飞刀放回礼帽。匹夫很满意,因为他的表演对阿凡思起到了警告和威慑的作用。他打量了一下天空,天色将晚,现在应该是点火烧饭的时候了。附近就是一片大森林,小矮人从车里取出一捆绳子,去森林采集点火用的柴火。

小矮人匹夫的身影渐渐消失了,阿凡思才松了一口气。大篷车里的巴豆粒还在打着呼噜。

第十六章

获　救

　　小矮人刚刚离开阿凡思的视线，一只乌鸦就从水洼旁的芦苇中飞起，朝阿凡思飞了过来。

　　"摩多万！"阿凡思惊喜地喊道。这确实是摩多万，他瞬间就钻进了阿凡思的笼子里。

　　"阿凡思，你什么都不用说，我看到了一切！"魔法师说。

　　"你看见了我的帽子，我亲爱的好摩多万！"阿凡思喊着把摩多万紧紧搂在怀中。

　　"放开我，你这个疯鸟！"摩多万说，"我们现在没有多少时间了！快告诉我，笼子的钥匙是在小矮人身上，还是在另一个人身上？"

　　"我觉得，是在大个子身上，"阿凡思回答，"是的，现在我敢肯定，钥匙就在他的裤兜里。"

　　"很好，"魔法师说，"阿凡思，你现在不要出任何声音，我去拿钥匙！"

　　摩多万钻进了大篷车的布篷里，走到正在熟睡的巴

乌鸦人 DER RABE ALFONS 阿凡思

豆粒身边，用尖嘴小心翼翼地在马戏班班主的口袋里寻
找。其实，他根本不需要这么小心，巴豆粒睡得很死，就
是用炮轰，他都醒不了。魔法师很快就找到了一串钥匙，
用嘴叼了出来，交给笼子里的阿凡思。"打开笼子，然后
马上离开这里！"摩多万激动地说，"我先飞到上面，看看
小矮人回来没有。"

在阿凡思寻找开笼子的钥匙时,魔法师飞上了天空,巡视着森林边缘,他锐利的乌鸦眼睛立即就找到了匹夫。

小矮人刚从树林里走了出来,胳膊上夹着一捆柴火。他的红色裤子从很远的地方就可以看到。

摩多万又看看下面的笼子——阿凡思已经打开了笼子,正从车上爬下来。

"快跑,阿凡思,快躲起来!"魔法师喊道。然而,阿凡思根本就没想马上跑开!

他拿着那串钥匙,走向两头马熊,想把它们也解救出来。

阿特拉斯和朱庇特也已经察觉到正在发生的一切,立即带着枷锁用后腿站了起来。

"你们看,我已经自由了!"阿凡思喊道,"我的朋友来了,我曾对你们说过!把你们的爪子伸过来,我把你们的枷锁也打开!"

阿特拉斯和朱庇特惊喜地欢叫了一声。

他在下面干什么呢?摩多万想,赶紧又飞到下面。"阿凡思,别管这些了,小矮人马上就回来了!快跑,藏到芦苇里面去,否则我们就白干了!"他说。

但阿凡思却不听魔法师的话。他急忙打开了马熊的枷锁。马熊前爪和后腿上的铁环都掉到了地上,他还要去打开它们的脖箍。

摩多万见无法制止阿凡思的行动,于是又飞到了空

101

中。以后的事情,似乎是在几分钟之内发生的。

魔法师刚刚离开视线,匹夫就从一个灌木丛中绕了出来。当他看到马熊和阿凡思时,顿时愣住了。阿凡思刚刚把一头马熊的脖箍解开。小矮人立即发出了一声怒吼,随即把柴火扔在地上,伸手就想摘下装有飞刀的礼帽。还没等他把帽子摘下来,摩多万就从他身后冲了过来,用嘴叼起礼帽就飞走了。这时,朱庇特也摆脱了最后的枷锁!它深深地吼了一声就朝小矮人走去。匹夫刚想逃跑,却已经被马熊抱住。

"朱庇特!不要!不要伤害他!"阿凡思喊道,但已经太迟了。愤怒的马熊已经把邪恶的小矮人举了起来,用它的大熊掌狠狠打了下去,匹夫就像一个皮球一样飞上了天空。越过了大篷车,向水洼边飞去,最后落到了老柳树枝干上。他摇晃着悬挂在了上面。怒气冲天的马熊觉得这还不够,朝老柳树走去,想把小矮人从树上摇下来,把他彻底消灭。这么多年来,他一直在殴打和折磨它们,朱庇特多年积累的怒气一下子燃烧了起来。另一头马熊也高声吼叫着,扯动着锁链,因为它还被脖箍锁着。

但阿凡思不想看到有人被杀死,尽管这个人是个大恶魔。阿凡思拉住朱庇特的右掌,一再喊道:"不要这样,朱庇特!不要伤害他!让他活着!"

马熊最终还是停住脚步,轻轻把喊叫着的阿凡思甩掉。

摩多万也飞了回来,落到了大篷车的篷顶上。他已

经把匹夫的礼帽和飞刀都扔到了水池里。"别这么激动，马熊朋友，"他对朱庇特说，"你已经自由了，原谅他吧！我知道，报仇是痛快的，但却从来没有给谁带来过幸福！"

朱庇特低沉地吼了一声，放下了前掌。"或许你说得对，乌鸦，"它说，但眼睛却始终没有从匹夫身上移开。

阿凡思也把阿特拉斯的枷锁解开了。阿特拉斯的性格比较温和。"谢谢你，乌鸦人！"它友好地说，把沉重的熊掌轻轻放在阿凡思的肩膀上，用潮湿的舌头舔着阿凡思的脸。阿凡思哇哇叫着享受着这个抚爱。

"阿凡思！"魔法师说，"去车里看看有什么吃的东西没有？我们在下一段的旅途中需要给养。我想尽快离开这个倒霉的马戏班，别等马熊改变主意。抓紧时间，阿凡思！"

"好的，摩多万。"阿凡思说着，爬进了大篷车中。

马熊阿特拉斯走向它的同伴，坐在了它的身边。摩多万看到它们正在商量着什么。它们没商量多长时间，很快就达成了一致，然后走到摩多万身边。

"乌鸦人！"朱庇特说，"我们很感激你和你的朋友让我们获得了自由，我们永远不会忘记。告诉我，我们能帮助你们什么？"

"是的，你们确实可以帮助我们。"摩多万说，"事情是这样的，我的朋友阿凡思，不太会走路，可我们前面的路还很长。如果你们能够陪伴我们一段，让阿凡思骑在你们的身上，那就是对我们很大的帮助了。"

"这太容易了!"朱庇特说,"但问题是你们要到哪里去?如果你们的道路是穿过有人类居住的地区,那我们只好拒绝,因为我们再也不想和人类打什么交道了。他们迟早都是要抓我们当俘虏的。"

"你说得很对,"摩多万说,"但你们可以放心,阿凡

思和我也不想和人类有什么关系。我们在寻找一座山旁边的一片湖水,大概在南方的一个什么地方。具体的位置我不知道,但我有个感觉,它距离我们已经不太远了。或许一天到两天的路程……"

"很好,"马熊阿特拉斯说,"我们反正也打算去一个山区,可以在那里安稳地生活。"

"那太好了!"摩多万哇哇叫着说,"那我们现在就出发吧。阿凡思!快出来,我们要走了!"

阿凡思提了一口袋食品从车里爬了出来。

"马戏班班主怎么样了?他还在睡觉吗?"摩多万问道。

"是的,"阿凡思回答,"他还在打呼噜。但我觉得,他实际已经醒了,只是装出还在睡觉,因为他也怕马熊会报复。他睁了一次眼睛,但马上又闭上了。"

魔法师笑了。"我想,这个马戏班再也不会有马熊参加演出了,"他说,"你给他留下点吃的了吗,阿凡思?虽然他不值得同情,但我还是不想他被饿死。"

"里面还有足够的面包和火腿。"阿凡思说。

"好。现在你骑上一头你喜欢的马熊,阿凡思。我们出发吧!"摩多万话音未落,阿凡思已经爬到阿特拉斯的背上,两头马熊迈开脚步开始往前走了。摩多万飞在前面。他们很快就离开了马戏班的大篷车,来到了森林的边缘。没有一个人回头看一看。

他们四个一消失在森林里,马戏班的大篷车也有了动静,巴豆粒的脑袋迟疑地从篷布缝中探了出来。他的面色苍白,髭须已经乱成一团,就像是一把破笤帚,眼睛里闪烁着恐惧和惊异。

当他看到马熊不会再来时,才缓慢地下了车。这时他听见了匹夫的呼叫声:"巴豆粒!巴豆粒!快把我弄下

来,巴豆粒!"

巴豆粒迈着沉重的步子走向老柳树,往上看了看。匹夫悬在树枝上,挣扎着,就像陷入蜘蛛网上的苍蝇。奇怪的是,马熊重重的一掌,并没有使他受太重的伤。

"你像棵树似的呆站在那里干什么!"匹夫再次喊道,"快把我弄下去,你这个醉猴子!都是你的罪过!你一个人!"

巴豆粒沉默地从大篷车中取来一根帐篷支竿,伸进匹夫的腰带里,把他挑了起来。但他却没有把小矮人放在地上,而是举着长竿走到水池边上,一下子把小矮人甩进了水中。然后他走回大篷车,又躺倒睡着了。匹夫喘着气浮出水面,游到岸边,用最后的力气拉住水边的草上了岸。他什么都没说,好像完全变成了一个乖孩子。然后他站了起来,回到大篷车去换衣服,脸上又露出了他原来那副阴险的神情……

第十七章

恐怖之夜

　　阿凡思、摩多万和两头马熊这时已经在森林里走了一些时候。摩多万又躲进了阿凡思的大衣里面,因为在浓密的树林里飞行很是困难。阿凡思骑在马熊阿特拉斯背上,用手死死抓住马熊蓬乱的鬃毛,因为这时两头马熊跑得相当快。但有时也停下片刻,吃几颗松塔、坚果和蘑菇充饥。阿凡思在熊背上向摩多万讲述了他被俘的经过,摩多万讲述了他如何看见阿凡思的皮帽子飞上天空,又如何小心翼翼地接近大篷车,并见到了所发生的一切。

　　夜晚终于来临,四个伙伴停了下来,在树木之间找到一个舒适的休息场地。阿凡思点燃了一小堆篝火,烤了些面包和培根。

　　他已经逐渐习惯了人类的饮食。

　　篝火旁的气氛很温馨。摩多万试图了解两头马熊在马戏班的遭遇,因为他相信在那些日子里肯定发生了很多有趣的事情。但两头马熊阿特拉斯和朱庇特闷闷不

乐，它们不想再提到马戏班。摩多万很理解它们的心情，不再打扰马熊。它们躺在树丛中，很快就睡着了。阿凡思熄灭了篝火，把自己裹在温暖的大衣里面，也甜甜地进入了梦乡。这件大衣越来越像是一件真正的流浪汉行头了，几天前它还几乎是新的——而现在呢？上面已经是裂痕累累，两粒扣子也不见了，而且已经相当脏。但它却仍然很暖和,这是最重要的。

摩多万也越来越适应他的乌鸦身分。这之前他还一直按照人的习惯行事,始终睡在地上过夜。今天他第一次飞上了树,睡在一个枝头上。这样可能更好,他想,这上面更安全一些……哈!我已经像一只真正的乌鸦那样警觉了!但愿我不要真习惯上这种恶习……要是能够很快找到那片湖水多好!那片湖水是否真的存在呢?千万不要产生怀疑,否则我连觉都睡不着了。肯定是有的!肯定!肯定!肯定……摩多万把尖嘴缩进胸前的羽毛里,慢慢闭上了眼睛。他也进入了温柔而舒适的梦乡……

午夜早已过去,摩多万突然被一种奇怪的声音惊醒。附近不知什么地方的落叶中发出沙沙的响声,听起来让人恐怖。他竖起耳朵仔细听,就好像有上百只细腿的小动物穿行在森林中。然后,又出现另一种奇怪的响声!长长的、嘶嘶的喘息声,一会儿大,一会儿小,从下面传了过来。摩多万背上冒出一股凉气。他立刻把这种声音和那些发现过几次的诡异脚印联系了起来。魔法师鼓起了全部勇气,飞向了两头马熊,想把它们唤醒。原来,阿特拉斯和朱庇特也已经醒来,它们正在紧张地聆听,头向前伸着,并用鼻子嗅着。沙沙声和嘶嘶声越来越近了。

"是什么声音?"摩多万小声问。

"我不知道,"阿特拉斯说,"闻起来有潮湿和发霉泥土的味道……"

"是的,我现在也闻到了⋯⋯"摩多万说,"可是,还有另一种味道⋯⋯"

沙沙声和嘶嘶声越来越响了。

"你快藏起来,乌鸦!"阿特拉斯说,"那东西正在向我们走来!"

马熊朱庇特已经用后腿站立起来,并开始大声吼叫。一个尖利的声音回答它的吼叫,那是一声刺耳的哨

音,震得耳膜发疼。摩多万飞向了熟睡的阿凡思,扇动翅膀把他唤醒。"阿凡思,快起来!"他哇哇叫着说。

阿凡思吃惊地睁开眼睛。

"快爬到树上去,阿凡思!"魔法师喊道,自己也飞上了近旁的大树。

两头马熊已经展开了攻势。森林里立即响起了吼叫声、嘶嘶声和沙沙声!树木下端传出了咔嚓和咯吱声音,从森林深处不断传来刺耳的哨音。

阿凡思睁大眼睛惊恐地爬上了树冠,坐到了摩多万身边。

他们屏住呼吸聆听着阴暗的森林中传出的喧闹声和打斗声响。

他们一再听到阿特拉斯和朱庇特的大声吼叫。不论攻击马熊的对手是谁,看来都是十分可怕的敌人。

过了几分钟,嘶嘶声和哨音越来越小了,怪异的声响逐渐远去了。阿凡思和摩多万相互看了一眼。一头马熊又吼叫了一声,然后,森林变得死一般的寂静。

阿凡思擦去额头上的汗水。"是什么东西?"他问摩多万,"我们受到野狼的攻击了吗?"

"不,阿凡思,"魔法师说,"是更可怕的东西。你等在这里,不要出声,等着马熊它们回来。但愿它们没有什么大麻烦……"

没有多久,马熊就回到了它们的休息地。

"乌鸦人,你在哪里?"朱庇特喊道,"过来,把篝火点起来!"阿凡思从树上跳下来,掏出了火柴。摩多万飞到了阿特拉斯的肩膀上。

"发生了什么事情,你们受伤了吗?"他问。

"没有,我们没有受伤,"阿特拉斯说,"根本就没有发生战争。我们开始吼叫的时候,那些奇怪的东西马上就逃跑了。它们虽然很丑陋,但胆子很小。你们不必害怕,它们不敢再次来到我们这里的!"

阿凡思点燃了篝火。明亮的火苗向上吐射着,使树木间这块空地再次变成了友善的光明之地。马熊舒适地伸展着它们的四肢。

"它们长得什么样子?"摩多万问道,"是人还是动物?"

"在黑暗中,我们看不清楚,"朱庇特说,"但它们不是人,这一点可以肯定。都是些动物,奇怪的动物。你也听到了它们发出的声音。我们跟着马戏班几乎哪儿都去过,但还从来没有遇到过这样的动物。"

摩多万陷入了沉思,在篝火前来回走动着。魔法!他想,毫无疑问,这其中是魔法在作怪。可是,它们是从哪儿来的呢?是谁藏在背后?目的是什么?天哪,自从我变成了乌鸦,好像无法像以前那样清晰地思考了。(看起来,他的记性似乎是越来越差,他也变得越来越蠢了。)如果我们不能很快找到那片湖水,我最终会变成一只乌鸦,满脑子就只想着哪儿有玉米粒了。这真是个美好的前景!如果阿凡思更聪明一点就好了,可他在干什么呢?

他又睡着了！本性难移呀！或许我今天也不该多想了
……

　　摩多万又飞到树上，落在了枝头。又过了一段时间，
他才终于闭上了眼睛。

第十八章

水上宫殿

夜安静地结束了。首先醒来的是阿特拉斯和朱庇特。它们唤醒了阿凡思，让他从食品袋中拿出一些吃的东西给它们。阿凡思把篝火点燃，烧了汤。马熊吃了生土豆和一点奶酪。摩多万飞下树来，也吃了早点。他用尖嘴啄了些面包和奶酪，很快就饱了。早上的阳光温柔地照在干枯的树枝上，天虽然很凉，但却没有风。

"好了，朋友们，"摩多万说，"我们出发吧。今天这样的天气最适合走路！"

"你总是这么着急！"阿凡思愤愤地说。"我们再坐一会儿不行吗？篝火还这么暖和！"

"阿凡思，你是不是忘记了我们要到哪里去？"魔法师说，"你还想带着这个黄鼻子多久啊？起来，起来，你这个懒蛋！你又不需要自己走路！你看，可爱的马熊已经在等你了。快骑上吧，我们必须继续赶路！"

阿凡思赶紧把最后一块奶酪塞进嘴里，然后爬到马熊的背上。

　　他们又走了大约一个小时，才从森林里走了出来。
摩多万途中一直寻找诡异的脚印，但在满地的落叶中什
么都发现不了。走出森林以后，展现在他们眼前的是一
片大平原。阳光很明亮，远处显现出低矮山峦的轮廓。

　　"我的好阿凡思，你猜我看见了什么！"魔法师说，
"这可能就是接骨木大平原了，它的后面就应该是锯齿
山！山虽然相当低矮，锯齿也比较少，但我敢打赌，我们

肯定会在那儿找到湖中岛屿的！"

"但愿你是对的,摩多万。"阿凡思说。

阿特拉斯和朱庇特看到山,也高兴地低吼起来。

"你们是怎么想的,我们需要多少时间才能到达山脚下?"摩多万问。

"如果需要,我们可以跑得很快!"朱庇特回答,"但要到那里,恐怕得中午了。"

"嗯,"摩多万思考了一下,"你们知道吗?"他说,"我先飞过去,看看周围的环境。请你们照顾好阿凡思,几个小时以后我们在那里再见!"

"没有问题,乌鸦!"马熊朱庇特说。

阿凡思听到以后,胆怯地看了一眼。但马熊没有给他说话的机会就已经开始跑了起来。阿凡思现在要做的就是紧紧抓住马熊的鬃毛。

摩多万升入空中,均衡地扇动着翅膀,朝山峦方向飞去。

是的,他想,我们找到了正确的地方!这片大平原上没有其他树木,到处都是接骨木灌木丛!

他向高处飞去,加快了速度。山峦越来越近了,摩多万已经看见粉红色的山岩。半个小时以后,他已经看见山脚下闪烁着银光。一片湖水!魔法师兴奋地加快速度飞了过去。现在他看见了整个湖水的规模。它的岸边长满了芦苇,就在湖水中间——那是什么?一座水上宫殿!一座古老又部分残破的宫殿!魔法师有点失望。水中岛

屿是他的期待,但这里却是一座宫殿?这可能不是我要找的湖水吧。一切努力都白费了……他绕了个大圈滑翔在湖水之上。这个湖是特殊形状的。它的岸边是圆形的,从空中看,好像是一个大问号。等等!魔法师心里一热。问号?如果把问号倒过来,那就是一个字母"S"!当然了!这一切都符合要求,魔法师想。长满接骨木的平原、紫色的山岩,"S"形的湖水和那个岛屿。岛屿?是的,岛屿也在湖中!由于有那座宫殿,所以才看不清岛屿!那本魔法书可能已经有百年的历史。这期间有人在岛上盖了宫殿,而且现在已经破落。是的,事情就是这样。可是"没有树皮的大树"又在哪儿呢?它肯定是在宫殿的庭院里……

魔法师飞向水上宫殿。宫殿里只有一个庭院,而且是空空的。又是一个大难题!摩多万想着,降落到庭院里。这里没有任何树的痕迹。连一棵接骨木都没有生长,因为庭院的地面是用石板铺成的。现在只有两种可能,魔法师想,或者大树被当年的宫殿主人砍掉了,或者它在宫殿里面的什么其他的地方。唉,可惜我无法开门……或许我能找到一扇开着的窗子呢!魔法师再次飞到空中,绕宫殿飞了一圈。宫殿有很多窗户,但全都用木板百叶窗封死了。

我只能等着阿凡思了,他可以把门打开,没有他我做什么都是没有意义的,否则我又会陷到什么地方,就像那时掉进烟囱里……

摩多万飞上了宫殿的塔楼,坐到了有些坍塌的屋顶

120

上。我就在这里等着，他想。这里的视野很好，可以看到
远处的阿凡思和两头马熊。摩多万抬头看了看天空。锯
齿山的轮廓又有些模糊了。他缩回脖子，想闭目养神，结
果却打了瞌睡，瞌睡又变成了真正的睡眠。这并不是摩
多万的本意……

他突然从梦中惊醒，一股凛冽的冷风吹进了他的羽毛。他差一点失去了平衡，从屋顶掉下去，于是立即顶住风头。"我的老天爷啊。天已经黑了！"摩多万喃喃地说。天空被灰色的乌云遮盖着，天下起了雪。我难道睡了这么长时间？魔法师想，不，这不可能！

或许是因为有云，天才变得这么黑的。

我真想知道现在几点钟了！我得立即去找马熊和阿凡思！

魔法师展开翅膀，穿行在大雪中，飞越了湖水，到了平原。他降低了高度，仔细巡视着每一个山坳和每一个接骨木树丛，看看阿凡思和马熊是不是在里面。他很后悔刚才睡着了。最后，他终于发现了马熊和阿凡思！他们正坐在一个山坳里的篝火旁。

"摩多万！你终于来了！"阿凡思喊道。

魔法师落在他的肩膀上。他真的松了一口气。

"我们必须休息一下，因为乌鸦人已经坚持不住了。"马熊阿特拉斯说。

"是的，"阿凡思说，"我的手指都冻僵了。而且我也很疲劳。两头马熊跑得很快，把我给摇晃惨了。我的肌肉和骨头都变成了布丁。怎么样，摩多万，你找到湖水和岛屿了吗？"

"找到了！"魔法师说，"但有一个小问题。岛屿上竖立着一座老宫殿，但我没有找到大树。我们必须一起去宫殿里勘察，阿凡思。它距离这儿并不太远！我们还可以

在宫殿里避雪。"

阿凡思又爬到阿特拉斯的背上,继续前进。没过多久,他们就来到了宫殿前。两头马熊看到宫殿,显得有些不安了。

"我们要和你们告别了,"朱庇特说,"阿特拉斯和我不想再进入人类的房子!我们要去那边的山上,为自己找一个合适的洞穴。你们两个多多保重。祝你们顺利!"

"再见,阿特拉斯和朱庇特!"阿凡思说,并拥抱了马熊的头。

"万事如意!"摩多万向它们的背影喊道。两头马熊消失在浓浓的雪雾当中。

"来吧,阿凡思,"魔法师说,"现在我们进去,好好休息一下。我们很快就会得到解脱了,你会看到的……"

第十九章

雌鸦阿霞

阿凡思和魔法师越过吊桥走向大门。雪越下越大。

"摩多万,我真的很高兴,今天晚上终于可以在房子里面休息了!"阿凡思说,"我全身都冻透了。我一想起当时是因为需要温暖才想变成人的,我真该抽自己几个耳光。"

摩多万笑了起来。

他们来到大门前。阿凡思想推开它,但它是锁着的。他正要抱怨,魔法师说:"你看,我觉得大门右侧下边的木板似乎已经腐烂了。你推一下试试,阿凡思!"

确实是这样,阿凡思轻轻推了一下,木板立即向里面倒去。他钻过这个门洞进入了宫殿,魔法师也跟着飞了进去。庭院里一片寂静,他们小心翼翼地向四周巡视着。

"这里很恐怖啊!"阿凡思说。

"别瞎说,"魔法师哇哇叫了一声,"古老的房子都有点恐怖。那边的角上有一扇门!去看看能不能打开,阿凡

125

思！"

　　阿凡思走了过去，把门打开，往里看了一眼。"漆黑一片，什么都看不见！"他回头喊道，"而且还有一股臭味！我可不愿意进去，摩多万！"

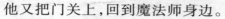

他又把门关上,回到魔法师身边。

"阿凡思,打起精神来!"摩多万说,"别老是疑神疑鬼的。我们必须勘察一下这座宫殿,不管它是不是恐怖。刚才你还很高兴能在屋子里面休息呢!但有一点你说得对,我们需要光亮。"

阿凡思突然站住了,用手指着庭院另一侧,"那里有光,摩多万!"

魔法师震惊地把身子转过去。真的,那里有一扇小窗子里面亮着灯光。"这就是说,这座宫殿里有人居住!"摩多万说,"那就更好了!你看,阿凡思,窗子下面有台阶和一扇门!我们过去看看,是谁住在里面。"魔法师又飞到阿凡思的肩膀上,阿凡思上了台阶,朝门走去。他把门拉开,门里面还是台阶,台阶尽头又是一扇门,从门缝里透出了一丝光线。

阿凡思继续登上台阶,到门口举手敲了敲。他等了几秒钟,但里面却没有人说"进来!"。

阿凡思推开门,朝里面迈了一步,然后就待在了那里。

这间房子是一个小厨房。一张厚重的餐台后面,站着一个人,手中拿着一把汤勺正在一个盆里搅拌着。那是一个女人。这可以从她的围裙和长长的黑发上看出,但她的面孔却和阿凡思一模一样!圆圆的蓝眼睛,长长的黄鼻子,或许比阿凡思的鼻子稍短一点,胡须也没有那么长那么密,除此以外,他们两个简直就像是双胞胎

兄妹。这个奇怪的女人也吃了一惊。然后,她笑着对阿凡
思说:"进来吧。你是新来的帮厨吗?"

摩多万的脑海里,快速转动起来。看来,她也是吃了
魔法李子的!他想,那个遭诅咒的乌龟园就在这里!

"你叫什么?"那个女人问阿凡思。

"阿凡思。"阿凡思回答,并对她笑了笑。

"我叫阿霞,"那个女人说,"你也是个遭魔法的乌鸦,对不对?"

"是的。"阿凡思说。

"那你肩头那只乌鸦为什么还没有变呢?"雌鸦阿霞看着摩多万问,"难道你们是越狱的?"

"我不知道你说的是什么意思。"阿凡思说。

"但我却猜出了几分!"摩多万哇哇叫着说,并飞到了餐台上,"阿霞,你听好!你吃了李子,所以变成了人,对不对?"

"是的,可是……"

"等一等,"摩多万打断她的话,"李子是谁给你的?"

"一个男人!一个邪恶的胖巫师,"阿霞说,"几个星期前,他用绳套在田野里捉住了我,并对我施加了魔法。这以后我就在宫殿里为他的那些怪物做饭。你看,我每天都用这个盆给他们准备粥食,里面放有白糖、蜂蜜、麦片和水……可是,我还是不太明白——你们既然不认识巫师,那是谁把阿凡思变成人的呢?"

"是啊,阿霞,这是一个很曲折的故事。"摩多万说,"我也不是一只真正的乌鸦,我是一个遭受魔法的人。我手中有几颗魔法李子,我和阿凡思都是自愿变化的……"

"那就是说,你们是从宫殿外面来的!"阿霞喊道。

"当然!"摩多万说。

"难道你们根本就不知道那些丑陋的怪物吗?"

"不知道,不过,也可以说知道!我早就已经设想出

乌鸦人 DER RABE ALFONS 阿凡思

一幅图景……"摩多万说。

"安静！我听到了脚步声！"雌鸦阿霞小声说，"怪物队长来了。天一黑，他们就来站岗和取饭食。你们快躲起来！"

阿凡思立刻躲进橱柜和墙壁的间隙中，摩多万飞上橱柜，僵僵地站在那里，就好像是一个鸟类标本。

就在这时,怪物队长走进了厨房。他身上穿着破布衫,双脚穿着破靴子。从脚到脖子还都像是一个人,但他的头呢?他的头真的是很恐怖。当摩多万看见他时,不得不眨了两下眼睛。那不是人类的面孔!黑黑的眼睛没有瞳孔,长长的嘴巴有些像狼狗,嘴里长出了钳子般的牙齿,整个脑袋是黑色的,光光的,就像是经过打磨的大理石。

"吃饭!"那个可怕的黑头人沙哑地说,并闪烁着大眼睛望着阿霞。

"好的,好的,马上就做好!"阿霞说着把一杯果酱倒进盆中。

黑头队长看着阿霞,用鼻子在空气中嗅了一下。摩多万很为阿凡思担心,生怕怪物闻出阿凡思的味道,但这时阿霞已经把粥食做好。黑怪物提起盆的一端,阿霞提着另一端,一起把这稀奇古怪的食物提到了外面。

阿凡思和摩多万都不敢动。几分钟以后,雌鸦阿霞回来,关上身后的门,并用钥匙锁上。

第二十章

木板贴面的房间

"你们可以出来了,"阿霞说,"现在不会有人打扰我们了。整个匪帮都在吃饭,接着就是晚间的例行活动,天天都是如此。"

"他们到底有多少个?"摩多万问。

"大概二十个吧,"阿霞解释说,"他们住在那边的大厅里,白天就睡在地板上,到了晚上他们才开始外出去烧杀抢劫。他们还都有十分丑陋的坐骑,平时隐藏在地窖里。我已经给他们做了两个星期的饭,可直到现在,一见到他们还是感到恶心。有一次,那是我刚变成人类的头几天,我想逃跑,但却没有成功。他们在大平原上抓到了我,把我拖了回来。我要还是一只鸟该多好!"

阿凡思同情地把手放在她的肩膀上,"不要太难过,阿霞,摩多万会救我们出去的。他很聪明。"

"谢谢你的赞扬,阿凡思!"摩多万说,"但是,这次的事情却很棘手。我们面对的是一个特别阴险的恶魔。你知道我在说谁。对我来说已经毫无疑问,这个巫师,就是美娘给我们讲述的那个邪恶的巫师。他虽然没有了那本魔法书，但却知道这个遭诅咒花园的所有秘密，因而潜伏在这里，进行他的罪恶活动。"

"你们听见了吗？"阿霞说，"他们现在出发了……"

雌鸦把汽灯拧小，然后他们走到窗前，朝着宫殿庭院望去。

从阿凡思打开的第一扇门里，那些黑头人骑着什么东西陆续走了出来。

那些坐骑都是扁平的，身体似乎盖有一层盔甲。身子下面的十四条细腿踏着地上的积雪，同时发出嘶嘶的气喘声。黑头人骑在上面，用一根小棍敲打着它们的脑袋，指挥它们前进。

"难以置信……"摩多万喃喃地说。

"你还记得吗，摩多万？"阿凡思小声说，"我们在船上时，我就看见过它们，但你当时还不相信。"

"是的，阿凡思。"摩多万说，"我到现在还不敢相信，但这的确是真的！你们知道这是些什么动物吗？"

"动物？它们都是怪物！"

"是的，它们现在都是怪物，"摩多万说，"但它们在被魔法变成怪物之前，却都是些普普通通的动物。准确地说，都是昆虫。"

"昆虫？"阿凡思不解地问道。

"是的，它们是蚂蚁和土鳖，"摩多万说，"那些黑头人，实际都是蚂蚁，而坐骑则是土鳖。你们仔细看看！"

　　"确实，正像你说的那样，它们很像是昆虫，"阿凡思说，"可是，为什么变得这么大呢？"

　　"想想魔法书中的话，阿凡思，"摩多万说，"那里谈到了'大力苹果'！吃了这种苹果，人和动物就会膨胀，并变得力大无穷。巫师不仅给它们吃李子，而且也给它们吃了这样的苹果!我估计,巫师还对黑头人施加了魔法,让它们服从他的意志……它们骑着土鳖出去……在夜里袭击村庄,进行掠夺和烧杀。但我保证,我会让这一切结束!嘿,我们得给这些臭东西的汤里加点咸盐!阿霞,你知道它们把赃物藏到哪儿了吗?"

"知道,"雌鸦阿霞说,"就在宫殿北部的一个房间里。那是一个很大的房间,墙壁上全是木板贴面。我每两天要烤制一个蛋糕送到那个房间去。有一次,我看见了装赃物的麻袋。但是,自从我变成人类就再也没有见过那个巫师。我再次去的时候,蛋糕和那些麻袋也都不见了。"

"他让你给烤蛋糕,那个胖家伙?"摩多万说,"是的,这就对了。那个房间里肯定有进入遭诅咒乌龟园的入口!那些怪物已经走了。阿霞,你带我们去那个房间!"

摩多万又飞到阿凡思的肩膀上,阿霞提着汽灯,出了门。厨房左边有一条走廊通往宫殿内部。走廊的尽头,是一扇旋转门。雌鸦小心翼翼地打开门,用汽灯照了照里面的厅室。"里面没有人,"她说,"继续走吧!"

"这里也有臭味!"阿凡思说着用手捏住了鼻子。

"是的,那是蚁酸的味道。"摩多万说。

"这是什么?地上黏黏的!"阿凡思喊道。

"嘘,小点声,"阿霞说,"这里到处都是黏黏的,那是我为它们做的甜粥。这些蠢猪吃饭时把一半都洒到了地上。有时它们干脆把粥倒出来,然后在地上吃。"

大厅的另一个尽头又是一扇旋转门。这时他们进入了一个昏暗的房间。满是尘土的厚重窗帘,把窗子遮得严严的。房间里古老的家具,部分已被虫咬得残缺不全,散落在房间的四处,天花板上悬着很多开胶的壁纸。

　　他们进入的下一个房间,是最为破旧的,这是一间遍布蜘蛛网的图书馆。书架的隔板部分已经腐朽,靠着墙壁胡乱堆着很多发霉的书卷。

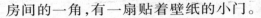

房间的一角,有一扇贴着壁纸的小门。

"就是这里!"阿霞说,"门里面就是木板贴面的房间。"

"你先进去。"摩多万说。

阿霞把门打开,用汽灯照了照。"你们可以进来了,"她说,"房间里是空的。"

阿霞走向房间的中央,把汽灯放在地上。阿凡思和肩膀上的摩多万跟了过去。陈旧的木地板在他们脚下发出咯咯吱吱的响声。尽管房间是空的,但却比其他房间显得更为恐怖。房间里没有窗子。墙壁和天花板都贴着深色的木板。

"好了,我亲爱的,我们终于来到了这里,"摩多万四处巡视着,"在这个房间里,就有通往乌龟园的入口!那本魔法书是怎么说的?'夜里踏上小岛。那里竖立着无叶无皮的大树,喊一声蚕豆开门,就可穿过大树,进入遭诅咒的乌龟园……'现在是夜里,我们也在正确的岛屿上,现在我们只需要找到无叶无皮的大树就行了!"

"摩多万,我在这里看不见大树。"阿凡思说。

"你说得对,阿凡思,我也看不见。"魔法师说。"但我看见很多木头!无皮无叶的木头!原来的魔法树,不知什么时候被人砍伐,加工成了木板,然后在这个房间里修了一扇秘门!"摩多万飞到阿霞的肩膀上。"把汽灯拿起来,阿霞,"他说,"沿着墙壁照一照。那块魔法木板必然和其他木板不一样。我至少希望是这样……不是颜色稍微浅一些,就是稍微深一些……"

　　雌鸦阿霞缓慢地沿着墙壁走了一圈。"都是一样的木板,"她说,"看不出有什么不同。"

　　"等一等!"摩多万说,"再走回去,阿霞。大概走七步

吧……对，就是这儿！你看到了吗？木板的颜色虽然一样，但纹路却深一些！阿凡思！快过来。敲一敲，然后说出那句咒语。你还记得吧？"

"当然，"阿凡思说，用手敲了敲墙壁，并大声说："蚕豆开门！"

没有动静。没有门开启，什么都没有发生。

"再试一次！"魔法师说。

阿凡思又使劲敲了敲，再次高喊："蚕豆开门！"还是什么都没有发生。

"或许门被卡住了？"阿凡思说着用肩膀向墙壁撞去。但他却没有碰到墙壁，因为那里根本就没有阻力，阿凡思一下子从墙壁里穿了出去。

他不见了。

门没有开启，只要说出那句咒语，墙壁就变得通透了！

摩多万愣了一下。然后他明白了。"快，阿霞，跟过去！"他高声喊道，"牢牢抓住我，就这么撞进去！"

第二十一章

遭诅咒的乌龟园

阿霞紧紧握住摩多万,闭上眼睛向墙壁闯过去。

在另一边,他们差一点摔到坐在地上的阿凡思身上。

"我们进来了!太棒啦!"摩多万哇哇叫着。他们身后是一棵没有树皮的枯树。"啊哈,"摩多万说,"在这一边的大树还是完好的。阿凡思,阿霞!这也是出口。这一切真妙!"

"你看,阿霞,天空多美啊!"阿凡思喊道。

"不要这么大声音,阿凡思,"摩多万说,"我们现在是在狮子窝里。如果不小心点,巫师会发现我们的,要是让他抓住,那我们就只能说'夜安'了。"

"你打算怎么办,摩多万?"阿霞问。

"首先,我们必须找到那棵李子树。"摩多万说,"等我重新变成人以后,我就可以和那个巫师对垒了。因为我也是一个魔法师!来吧,让我们看一看,灌木丛后面是什么!"

　　摩多万飞到阿凡思的肩膀上。阿凡思和阿霞踏上了
一条小径,两侧生长着开有陌生的紫色花朵的灌木。灌
木的另一边,一幅奇妙的美景展现在他们眼前。在闪着
绿色光芒的天空下,是一片巨大的水池,岸上长着一排
排垂柳,白色的雾浮在水面上。左边是一个筑有低矮围

墙的小山丘,上面生长着李子树和苹果树。它们后面的
池边,可以看到一栋刷着白粉的小茅舍的屋顶。

"阿凡思,阿霞,你们留在这里。我去果园取魔法李
子。你们最好藏在树丛里面!"摩多万说。然后他就展开
翅膀,紧贴着地皮向对面的围墙飞了过去。

他先降落在围墙外面,向周围看了看,可四处没有
那个巫师的踪影。

我必须冒这个险,摩多万想,于是越过围墙飞向了
李子树。他落到了一个枝头上,但又立刻钻进树冠之中,
让树叶把他遮住。然而,摩多万却大失所望,因为树上一
枚李子都没有。同样,苹果树上也没有果实。

怎么办?他想,这只有一种可能性:巫师已经采摘了
果实!他很可能已经把果实存放在旁边的茅舍里面。巫
师现在是否正坐在茅舍里呢?没有办法,我只能去看看
……

摩多万心跳得厉害,他飞向了茅舍,无声地落到窗
台上。他急匆匆地往里面看了一眼,心里一块石头终于
落了地。巫师没有在房间里。在一张桌子上摆放着一块
切去一角的蛋糕。靠着墙壁放置着多个木架,木架的隔
板上摆满了水果箱。这对摩多万已经足够了。他迅速贴
着地面又飞回到阿凡思和阿霞身边。

"魔法李子就在茅舍里面!"他喊道,"里面没有人。
这是一个好机会。你们两个赶快过去,快!"

阿凡思和阿霞拔腿就跑,很快就来到茅舍前。阿凡

　　思推开了门，摩多万立即飞了进去，落到了木架上。

　　"阿凡思，阿霞，把箱子从木架上拉下来！"他说。阿
霞使劲把一个箱子拉下来——但用力过度，箱子从她手
中滑出，哗啦一声掉到了地上。箱子里的东西撒满一地，
原来都是各式各样的怀表。

"小心!"摩多万小声说,"阿凡思,过来帮帮阿霞。你在干什么呢?难道在吃蛋糕吗?你这个馋鸟!你现在不能做点有意义的事情吗?"

"如果我再变成一只乌鸦,这蛋糕可能就不会这么香甜了。"阿凡思说。

"你还有这个闲心!"摩多万说,"快点过来!你们俩一块拉那个箱子。对,就这样……里面是什么?啊哈,是戒指和手镯。这里呢?是钱币。你们看看左边那个架子。"

阿凡思和阿霞又把一个箱子拉出一半,摩多万从上面往里看。"是苹果!这是魔法苹果,可以使人膨胀和增长力气。这我们不需要。最下面那个大箱子里面是什么?"

阿凡思和阿霞共同使劲把箱子从架子上拉出,惊喜地大叫起来。里面装着满满一箱刚摘下的又新鲜又饱满的李子!

"我们找到了!"摩多万大声哇哇叫了起来,立即往下飞到箱子边上。"让我先吃,"他说,"阿霞,给我一枚李子,但先要把核去掉!"

雌鸦阿霞把李子掰开,放入摩多万的尖嘴中。

阿凡思也拿起一枚李子,用舌头舔一舔,然后走到放蛋糕的桌子旁。

摩多万把李子吃下去,只听一声闷响,在白色的烟雾里出现了人形的摩多万!

阿霞睁圆了眼睛看着他。

魔法师摩多万举起双手,抚摩了一下自己灰白的胡须,微笑着。"哈,阿霞,看我怎么样?"看到她吃惊的样子,他笑着说,"好了,现在轮到你们了!"

"摩多万,我可以拿一块蛋糕和李子一块吃吗?"阿凡思说。

"那好吧,"摩多万说,"但要快点吃,我实在不想再看到你那个黄鼻子了!"

阿凡思和阿霞同时把李子放入口中——闷声响了两次,两只黑色的乌鸦在房间里扇动着翅膀飞了起来。

"你们感觉怎么样?"摩多万笑着说。

"太棒啦!"阿凡思哇哇叫着。

"摩多万,快看!看你身后!"阿霞说着惊恐地飞上了木架。

只见从门外爬进了许多小乌龟。

"别怕,"摩多万说,"这只是些小乌龟。魔法书中曾提到过这个问题。里面写着'乌龟园'。或许在水池子里面还有上百只这样的小动物,但它们完全没有危险。我现在正在考虑,那个邪恶的巫师藏到哪儿去了……他叫什么来着?古古磨还是古嘎嘛……"

"古古嘛是正确的叫法!"一个洪亮的声音从他们身后传了过来。

第二十二章

邪恶巫师古古嘛

一个高大肥胖的男子站在门口。他的胖脸上露出一丝狞笑,一排黄色的牙齿显现了出来。他穿着一件宽松的深色衣服,光头像镜子一样闪着光亮。他的嘴虽然在笑,但他的眼睛却十分冷漠。

"是谁给了我这么大的荣誉啊?"他问。

"我叫摩多万。"摩多万说,并尽量隐藏自己的恐惧。摩多万第一眼就看出这个古古嘛是个法力强大的巫师。从巫师身上散发出的邪恶的法气,他已经感受到了!

整个房间都充满了这种法力的气场,房间里面的一切都在慢慢地变成石头。

阿凡思和阿霞呆呆地立在木架上。

他们连眼睛都不眨一下。

"摩多万,摩多万……"巫师喃喃地说,又狞笑了起来。"我觉得,我似乎听到过这个名字,摩多万。"他说,"你也是一个魔法师,当然是三流或者四流的货色。你到这儿来干什么,摩多万?你到底是怎么找到这儿的?"

"这并不重要,"摩多万平静地说,"你不可能继续隐蔽了,古古嘛!我了解你和你做的一切坏事!"

　　"很好,可又有什么用呢?"巫师说,再次大笑起来。"你能怎么样呢?你以为我会放你走吗?你在想什么呢?你把我看成什么了?你现在试试还能把手举起来吗?"

摩多万额头上沁出了汗珠，他早就感觉到，他越来越僵硬了，他正在绝望地尝试抗拒使他僵化的法力。举手，他根本就不想尝试，因为他知道，他做不到。我必须说话，摩多万想。说话，说话，说话……"其实，你并不十分强大，古古嘛！"摩多万说，这时他已经感觉到，他的舌头越来越沉重了。"你只是玩弄些我不知道的小技巧，不过如此而已。你才是胆怯的人，所以才隐蔽在这里，干那些见不得人的勾当。你仇恨所有的人，因为你怕他们。不知是谁曾经对你干过可怕的事情，古古嘛！"

"你这是胡说，老头子！"巫师气恼地说，但同时却低下头看着地面，摩多万立即知道，他的方法是正确的，因为他身上的压力已经减轻了很多。

"是的，你说得对，我仇恨和藐视所有的人，"巫师说，"他们都很卑鄙。不值得信任，一个都不能信任！你不去控制他们，就会被他们控制。在这个世界上，只有强大才是最重要的。这就是唯一可信的真理。"

"你会伤害别人的，古古嘛。"摩多万说，"你以为只要比所有人都强大，才能生活下去，但实际上你是生活在一个由恐惧、仇恨和孤独编织的牢笼里。糟糕的是，你的很多恶行阻止你去认识真正的真理。如果说，有人曾经对你背信弃义，那也没有理由去恨所有的人啊！你明白吗，古古嘛？"

肥胖的巫师缓慢地抬起头，他的脸开始扭曲变成一副嘲笑的怪相。"你以为我不明白？老家伙！"他说，"你差

一点就成功了,想用你的花言巧语迷惑我吧!我真的是低估了你。实在佩服,你真会巧言令色!但现在结束你的说教吧!"

150

摩多万还想说些什么，但他的舌头已经不听使唤，他的四肢已经无法动弹，一种无形的力量把他完全包裹和压缩起来。古古嘛遥远的声音传进他的耳朵："信任！真是可笑！这是我好久没有听过的最好的笑话，哈！你的分量在哪里，摩多万？你还能听到我说话吗，你这个愚蠢的老家伙！我要把你变小，很小！哈哈哈！"

摩多万用僵直的眼睛盯着古古嘛，他抵抗着向他袭来的力量。他感觉到，他逐渐失去了知觉。古古嘛的动作在他看来就像是噩梦中的幻影。

摩多万恐惧极了……

巫师古古嘛满意地坐到他的椅子上。

然后，他拿过一块蛋糕，惬意地吃了起来。

这时，爬进房间的小乌龟越来越多了。

它们爬到巫师两腿中间，贪吃着掉在地上的蛋糕渣。

"滚开！"古古嘛吼道，并企图用脚赶走这些小爬虫。突然，有什么东西噎在他的喉咙里。他咳嗽着咽了下去，又咳嗽起来。他站了起来，想走出去，但脚却绊在乌龟身上，向前倒了下去。随着他的倒地，还能听到一声闷响，一股白色烟雾升了起来，古古嘛突然不见了踪影。

首先从噩梦中醒来的是摩多万。他又可以行动了，又可以清晰思考和看东西了，压在他身上那可怕的力量突然消失不见了。这时，阿凡思和阿霞也都活跃了起来，哇哇叫着，扇动着翅膀。

"闭上你们的尖嘴!"摩多万说,"你们谁能告诉我,到底发生了什么事情?巫师一下子跑到哪儿去了?"

阿凡思飞到了摩多万的肩膀上。"摩多万,"他说,"再别骂我贪吃了!正是贪吃救了我们的性命。"

"什么?为什么?我不明白……"摩多万说。

"那块蛋糕!"阿凡思说,"我刚才把好几枚李子按到蛋糕里去了!我只吃了一枚。其他几枚全让那个坏蛋巫师给吞了。他现在是一只小乌龟,因为他吞李子时,正想着乌龟!"

摩多万看了阿凡思几秒钟,然后就哈哈大笑起来。"阿凡思,我亲爱的好阿凡思!"他说着把乌鸦抓在手里贴在了脸上。

第二十三章

结局好，就一切都好了吗？

阿凡思和阿霞又都变回了乌鸦，魔法师摩多万又变成了一个人，邪恶巫师古古嘛现在是一只小乌龟，不知在什么地方和成百只同类四处乱爬着。

摩多万这个晚上还辛苦地干了一宿的活。

假如他吃一小块大力苹果的话，所有这些工作就可以不用这么干了，至少不需要他一个人干。

如果阿凡思和阿霞还是人的话，当然可以帮他的忙，但他们实在不想再冒险了。

首先，摩多万把岛上所有魔法树统统砍掉，不再让人受到诱惑去滥用它们的魔力。他把装"大力苹果"的箱子扔到了宫殿庭院的井里。清晨之前，他在为那些怪物准备蜂蜜和麦片的饲料里掺进了魔法李子。它们在抢劫归来后，都吃了这种甜粥，又都变成了微小的蚂蚁和土鳖。蚂蚁飞快钻进地板缝隙里，土鳖又消失在发霉的地窖。可怕的噩梦终于结束了。

现在就只剩下巫师掠夺的赃物了。阿霞有一个好主

154

意。"你听着,摩多万,"她说,"阿凡思和我过几天就要飞向南方了,和我们的乌鸦同伴们一起过冬,春天时我们再回来。你看这样可以吗,我们把这些财宝先存放在塔楼里,等我们飞回北方时,每一只乌鸦叼上一件首饰或金币。我们将飞越大地,把它们扔到穷人家里。"

"这真是一个好主意!"摩多万立即说,"但还有一个小小的问题,我还得把这些东西搬到楼上去。"

"你不是有大力苹果吗?"阿凡思建议。

"不,谢谢啦,"摩多万说,"那太危险了。我会膨胀起来,最后连门都进不去了。而且,这现在已经不可能了,因为我把所有苹果都扔到了井里。"

于是,摩多万只好把一箱箱珍宝从乌龟园里搬出来,再存放到塔楼的屋顶上。干完了这些以后,他累得够呛,然后整整睡了一天一夜。阿凡思和阿霞坐在他旁边,为他守卫。魔法师醒来以后,他们一起吃了饭,然后两只乌鸦向他告别。那是一个晴朗无风的冬日,两只乌鸦向南方飞去。

"春天一定来看我!"摩多万朝他们喊道,"我将在美娘家里等着你们!"

"一定会的!"阿凡思回应道,"万事如意,摩多万!"

"你也是,阿凡思。"魔法师轻轻地说,望着他们的身影,直到他们消失在天边。

摩多万再次去了乌龟园。他在那栋茅舍中巡视一番,看是不是所有苹果和李子都已经清除干净。然后他去了水池边,看了看那些乌龟,心想:古古嘛,可怜的魔鬼,你真是不可救药了。对你来说,或许这是最好的出路。乌龟的寿命很长,等我入土以后,乌龟古古嘛还仍然活在世上,他有很多时间思考人生,而且再不会给谁带来灾难。但是,像古古嘛这样的恶魔,光通过思考会改变吗……

　　摩多万又穿过秘密通道回到宫殿。从口袋里掏出两枚李子,他吃掉其中的一枚,于是又变成了乌鸦。他把另一枚紧紧握在爪子里,朝着女巫美娘的房子飞去。

　　当天晚上,他顺利地回到美娘的家中。他把第二枚李子吃下,又变回了人,坐在温暖的壁炉前向美娘讲述了整个冒险经历。

　　在水上宫殿的遭诅咒的乌龟园里,一只孤独的乌龟趴在魔法李子山丘的围墙旁边。它在寻找一个安身的地方,而且还在想,如何能使被砍伐的树木重新复活,再次结出果实来……

作者简介
乌鸦人阿凡思

埃尔温·莫泽
Erwin Moser

　　埃尔温·莫泽(Erwin Moser)1954年生于维也纳，现在生活在奥地利的维也纳和布根兰德州两地。他早年学习排字手艺，后来开始写作并为图书绘制插图。他出版的图画书和文学书曾多次获奖。本书曾获德国"捉鼠人文学奖"，这个奖项是德国为弘扬优秀的传统民间文学而特意设立的。